Mode d'emploi de mon enfant

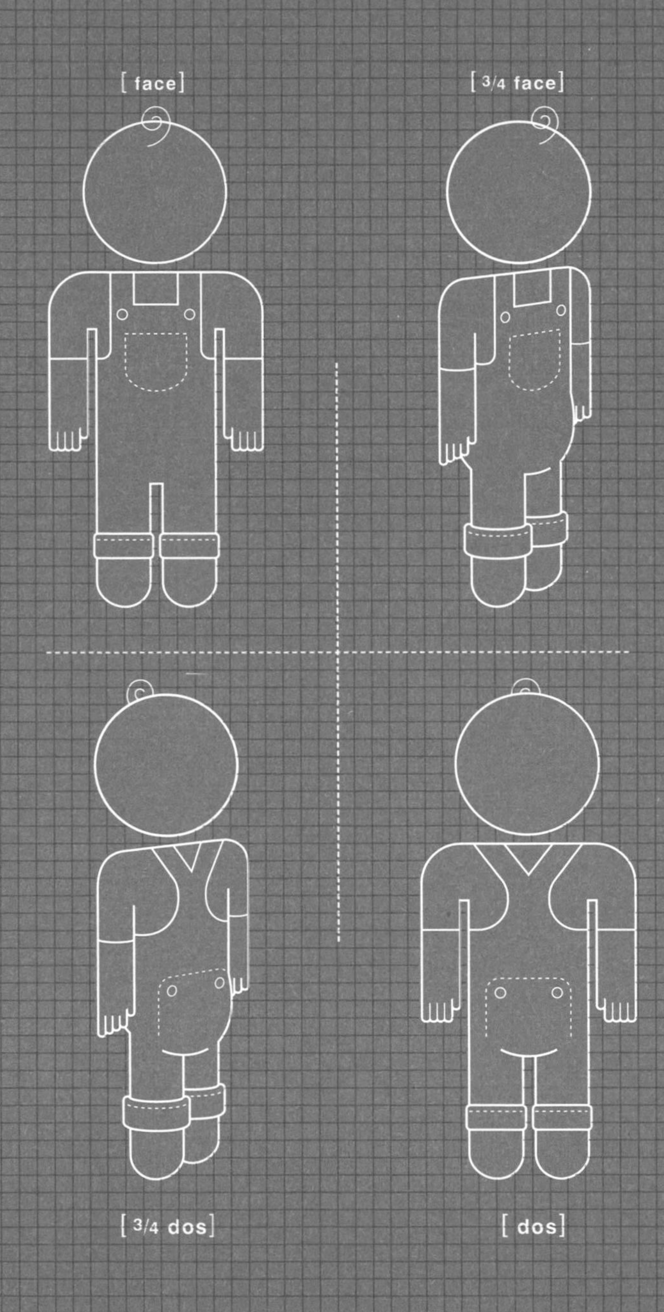
[face]
[3/4 face]
[3/4 dos]
[dos]

Mode d'emploi
de mon
enfant

NOTICE D'UTILISATION, CONSEILS DE DÉPANNAGE
ET INSTRUCTIONS DE MAINTENANCE

Brett R. Kuhn & Joe Borgenicht

Illustrations de Paul Kepple et Jude Buffum

MARABOUT

Conception graphique de Paul Kepple and Jude Buffum @ Headcase Design
www.headcasedesign.com

POUR L'ÉDITION FRANÇAISE :
Traduction : Tina Calogirou
Relecture, adaptation et mise en pages : Elisabeth Boyer

Imprimé en Italie par Rotolito Lombarda
Dépôt légal : Janvier 2009
ISBN : 978-2-501-05815-5
40.8053.7 / 01

Table des matières

mise à jour
du bébé à l'enfant

ATTENTION!

Les instructions de ce manuel concernent les modèles mis en service depuis 12 à 48 mois. Si votre modèle ne correspond pas à cette tranche d'âge, il ne pourra sans doute pas fonctionner selon les spécifications décrites.

Félicitations ! La mise à jour a réussi, votre bébé est désormais un enfant.

Les modèles ayant subi une mise à jour doivent être débugués et reprogrammés fréquemment. Si chaque modèle est différent, tous connaissent une croissance, un développement et des changements spectaculaires, et tous déclenchent de fréquents conflits de pouvoir. Ce guide de l'utilisateur se veut le plus complet possible. Il vous permettra d'exploiter au maximum le potentiel de votre unité, d'optimiser son fonctionnement, et vous propose des méthodes de programmation testées et approuvées pour réussir la plupart des mises à jour entre 1 et 4 ans. Il n'est pas nécessaire de lire ce mode d'emploi entièrement. Référez-vous aux chapitres qui correspondent aux problèmes que vous rencontrez ou aux questions que vous vous posez.

MAISON ET TRANSPORT (p. 16-29) : présente les mises à jour de l'environnement adaptées à votre modèle. Vous y trouverez des conseils utiles pour la configuration de la chambre, la liste des accessoires nécessaires et les mises à jour des équipements de transport.

ENTRETIEN GÉNÉRAL et MANIPULATION (p. 30-49) : des informations sur le déplacement et la manipulation de l'enfant, et sur les voyages. Ce chapitre présente aussi quantité de conseils concernant la fonction « jeu ».

ALIMENTATION : COMPRENDRE L'APPORT EN ÉNERGIE DE L'ENFANT (p. 50-75) : des conseils pour comprendre le fonctionnement de votre modèle afin de lui fournir l'énergie dont il a besoin. Contient des informations sur le sevrage, la nutrition, ainsi sur les horaires d'approvisionnement solide et liquide.

PROGRAMMATION DU MODE SOMMEIL (p. 76 – 95) : un guide permettant de programmer et d'activer le mode sommeil de l'enfant. Vous y trouverez des conseils pour passer l'enfant en mode sommeil, pour le reprogrammer et pour réussir le transfert du berceau au lit, ainsi que des solutions pour les dysfonctionnements du mode sommeil (notamment les cauchemars et les jeux nocturnes).

MAINTENANCE GÉNÉRALE ET INSTALLATION DE FONCTIONS AVANCÉES (p. 96 – 119) : maintenance et mise à jour de toutes les unités, pour un bon fonctionnement et une utilisation optimale. Cette partie contient des conseils pour le passage en mode « gestion autonome des déchets », pour les fonctions avancées du bain et pour l'auto-habillage.

CROISSANCE ET DÉVELOPPEMENT (p. 120 – 151) : les caractéristiques et les jalons du développement de l'enfant, des stratégies et des informations sur l'évolution physique, linguistique, émotionnelle et sociale de l'enfant.

DISCIPLINE (p. 152 – 177) : les méthodes permettant de paramétrer le fonctionnement de l'enfant, en réseau et tout seul, ainsi que des techniques destinées à gérer divers comportements indésirables

SÉCURITÉ ET PROCÉDURES D'URGENCE (p. 178 – 211) : les conseils pour sécuriser l'environnement de l'enfant et les procédures médicales d'urgence, complétés d'un glossaire des problèmes de santé les plus courants.

Votre enfant a subi une mise à jour importante, tant sur le plan matériel que logiciel. Il passe du bébé dépendant de son utilisateur à l'enfant désirant être autonome. Au cours de cette période de reprogrammation, vous ressentirez peut-être frustration, incompétence, désespoir, colère ou découragement. Il s'agit de manifestations normales, qui s'estomperont avec le temps. Avec une bonne dose d'humour, vous réussirez à accompagner le développement de votre bébé, pour en faire une unité performante et robuste, fonctionnant de manière autonome. Alors bonne chance, et profitez de la nouvelle version de votre unité !

ACCESSOIRES POUR LA MISE À JOUR (fournis séparément)

Système d'approvisionnement en boisson

Accessoire de divertissement

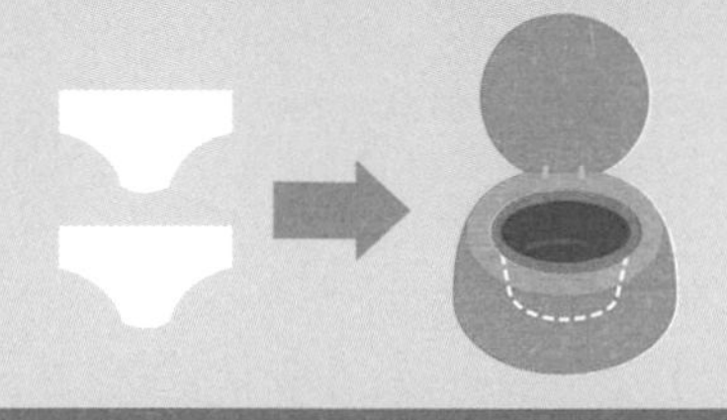

Gestion des déchets

Emballage

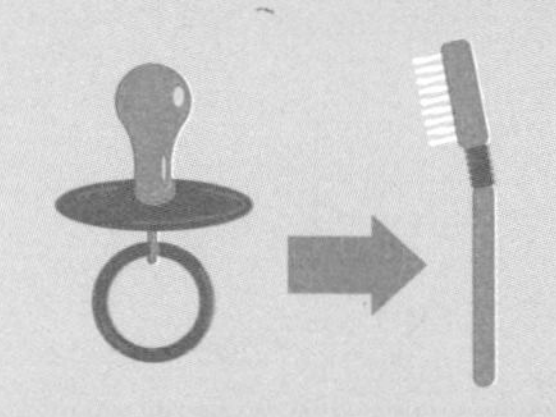

Accessoire buccal

Système de transport

Station de rechargement

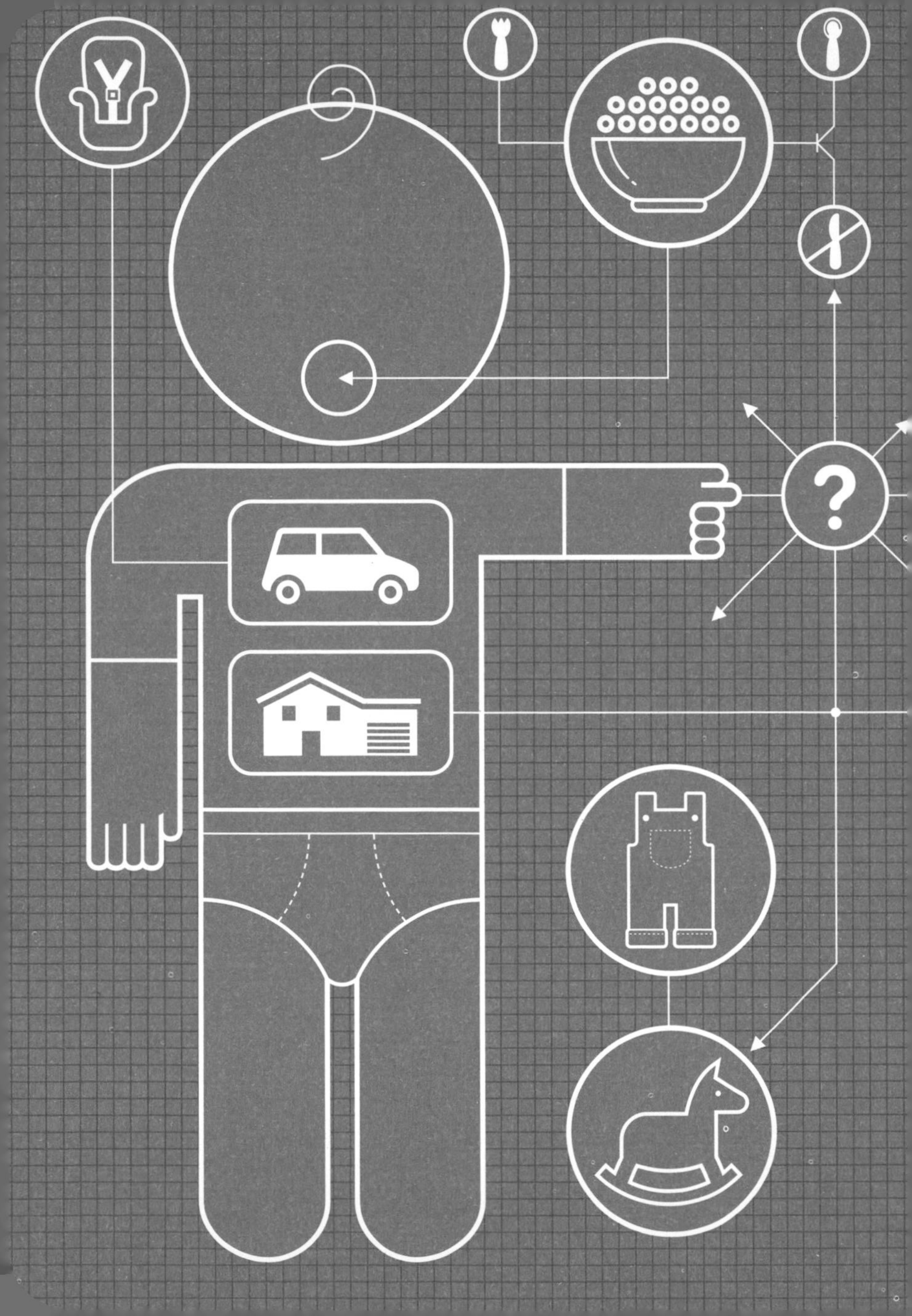

[Chapitre 1]

Maison et transports

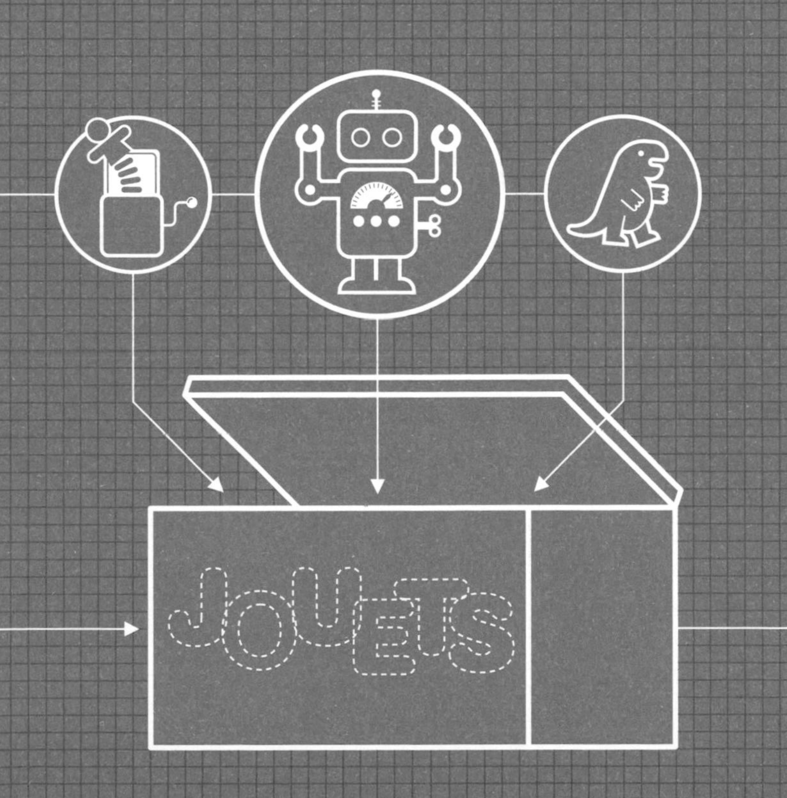

Mises à jour de la maison

En raison de la mobilité accrue du modèle, l'environnement devra être sécurisé dans toutes les pièces de la maison pour assurer son bon fonctionnement (voir p. 180). Une mise à jour rigoureuse s'impose dans la pièce où dort l'enfant.

Mise à jour de la chambre

La plupart des utilisateurs feront dormir leur modèle dans un espace distinct du leur (si vous fonctionnez en mode co-dodo, voir p. 79). Pour transformer la chambre de bébé en chambre d'enfant, configurez-la pour assurer une sécurité maximum (voir p. 180), en utilisant les accessoires décrits ci-dessous. Ainsi, le modèle disposera d'un espace sûr et confortable lorsqu'il passera en mode je-m'occupe-tout-seul ou en mode sommeil.

Le lit: Entre 18 et 36 mois après sa première mise en service, l'enfant maîtrisera la fonction « je-sors-tout-seul-de-mon-lit-à-barreaux ». Dès que votre unité commence à donner des signes indiquant l'activation de cette fonction, transférez-le dans un lit de grand, spécialement conçu pour cette compétence. Les lits pour enfants sont plus courts, plus étroits et plus bas que les lits standards. Beaucoup sont également équipés d'une barrière de part et d'autre du lit, pour empêcher l'enfant de tomber par terre. L'utilisateur a aussi la possibilité d'acheter un BED RAIL chez un revendeur agréé, pour l'installer lui-même sur un lit standard. Voir le chapitre « Transfert du lit à barreaux vers le grand lit » p. 78, pour en savoir davantage sur le positionnement du lit et la phase de basculement entre le lit à barreaux et le lit de grand.

Chaise à bascule ou fixe: Vous pouvez continuer à utiliser une chaise à bascule ou fixe si l'enfant apprécie le mouvement et le confort associés à ce support. Vous pouvez aussi remplacer ce dispositif par un petit fauteuil pour enfant, afin que votre modèle puisse acquérir une certaine autonomie.

⚠ ***ATTENTION**: la mobilité de l'enfant étant accrue, des dommages matériels peuvent se produire sur la table à langer. Retirez la table à langer de la chambre ou modifiez sa configuration, pour installer le matelas à langer sur une commode robuste, solidement fixée au mur.*

Étagères / livres: Les étagères doivent être fixées solidement au mur (p. 181), afin que l'enfant ne risque pas de les faire basculer sur lui en s'y agrippant. Installez les objets les plus lourds sur les étagères les plus basses, et les objets légers sur le haut. Évitez de poser des choses fragiles sur ces étagères, car l'enfant parviendra un jour à escalader le meuble pour les attraper.

Marchepied: Cet accessoire peut être mis en service une fois que votre modèle sait monter tout seul deux petites marches (généralement vers 2 ou 3 ans). Placez-le sous l'interrupteur, pour que l'enfant puisse allumer et éteindre tout seul la lumière de sa chambre, lorsqu'il le souhaite.

Veilleuse: En fonction de l'aptitude de l'enfant à passer en mode sommeil, l'utilisation d'une veilleuse pourra rester nécessaire.

Coffre à jouets / jouets: Le stockage des jouets peut se faire dans une pièce distincte, dans un bac glissé sous le lit de l'enfant ou bien dans un coin de la chambre. Ne rangez pas des jouets lourds en hauteur ni sur des étagères.

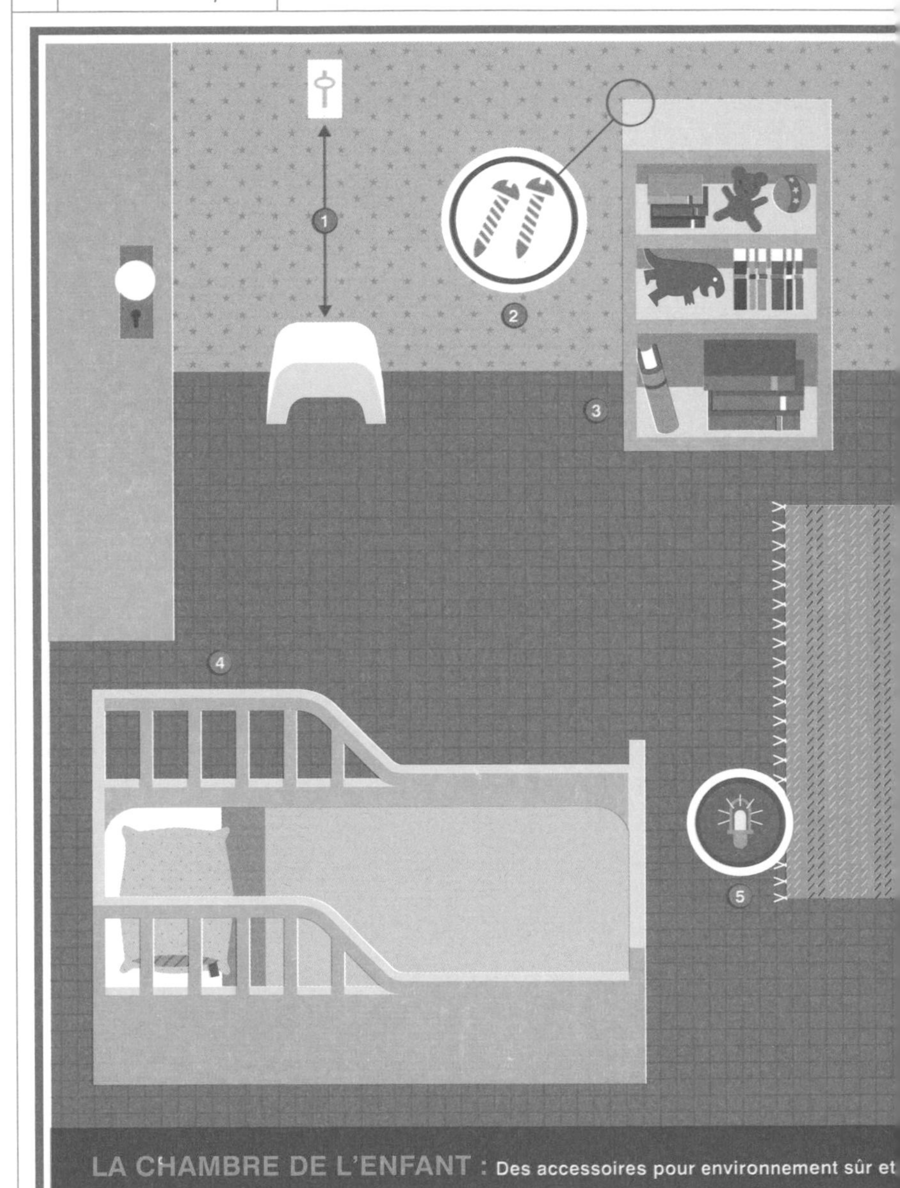
1
2
3
4
5
LA CHAMBRE DE L'ENFANT : Des accessoires pour environnement sûr et

1. Marche-pied pour atteindre l'interrupteur
2. Étagères solidement fixées au mur
3. Les objets les plus lourds sont placés sur les étagères du bas
4. Lit avec barrières
5. Veilleuse
6. Cheval à bascule
7. Coffre à jouets
8. Chaise d'enfant
9. Jeux éducatifs
10. Activités favorisant la créativité

6 7 10 9 8

confortable où l'enfant peut passer en mode je-m'occupe-tout-seul ou en mode sommeil.

Accessoires

À mesure que l'enfant grandit, il vous faudra faire l'acquisition d'un grand nombre d'accessoires supplémentaires pour l'habillement, la toilette, le sommeil, l'alimentation énergétique et les loisirs. Vous avez peut-être déjà quantité de ces articles en stock. Toutefois, en raison de la croissance et du développement de l'enfant, ces accessoires doivent être renouvelés régulièrement, dans la taille et la configuration adaptées.

SOMMEIL

- 4 draps adaptés à la taille du lit
- 2 alèses imperméables
- 2 couvertures
- 1 petit oreiller ferme, avec 2 taies

PASSAGE EN MODE PROPRE

- 6 à 12 culottes d'apprentissage absorbantes ou culottes de protection
- 1 réducteur de toilettes et/ou 1 pot

HABILLEMENT

- 2 ou 3 maillots de corps
- 5 à 7 T-shirts à manches longues
- 5 à 7 T-shirts à manches courtes
- 5 à 7 pantalons
- 5 à 7 shorts
- 2 à 3 robes (facultatif, pour les modèles filles)
- 5 à 7 paires de chaussettes
- 1 à 3 pulls ou sweat-shirts
- 1 imperméable (si nécessaire)
- 1 manteau (si nécessaire)
- 1 ou 2 paires de chaussures
- 1 paire de gants
- 1 bonnet
- 1 chapeau à large bord pour l'été

ALIMENTATION

- 4 à 6 tasses à bec et/ou 4 à 6 gobelets en plastique
- 2 ou 3 sets de vaisselle en plastique (assiette et bol)
- 2 sets de couverts pour enfants en plastique
- 2 sets de table plastifiés
- 1 chaise haute ou rehausseur
- 1 tapis plastifié à placer sous la chaise de l'enfant

MAINTENANCE GÉNÉRALE

- 1 brosse à dents pour enfant, à poils souples
- 1 tube de dentifrice pour jeune enfant
- 1 flacon de savon liquide pour enfant
- 1 flacon de shampoing pour enfant
- 1 brosse à cheveux

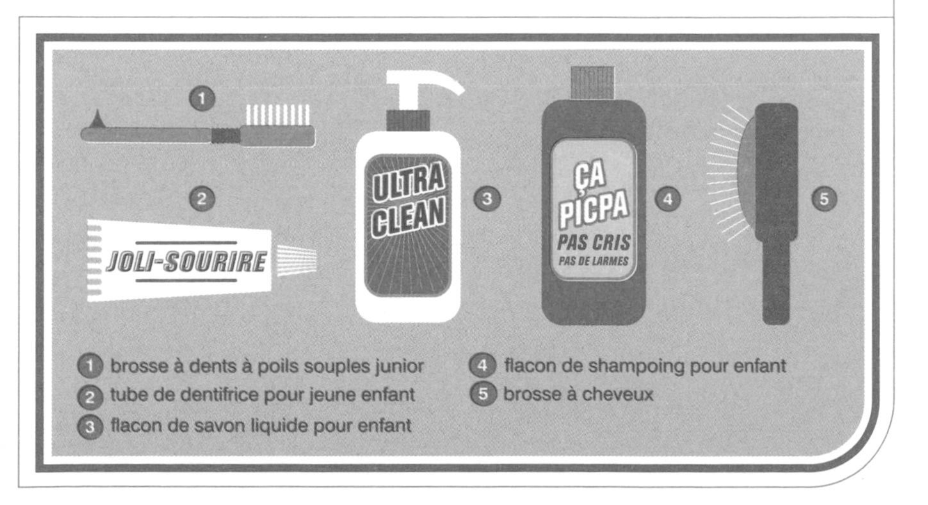

1 brosse à dents à poils souples junior
2 tube de dentifrice pour jeune enfant
3 flacon de savon liquide pour enfant
4 flacon de shampoing pour enfant
5 brosse à cheveux

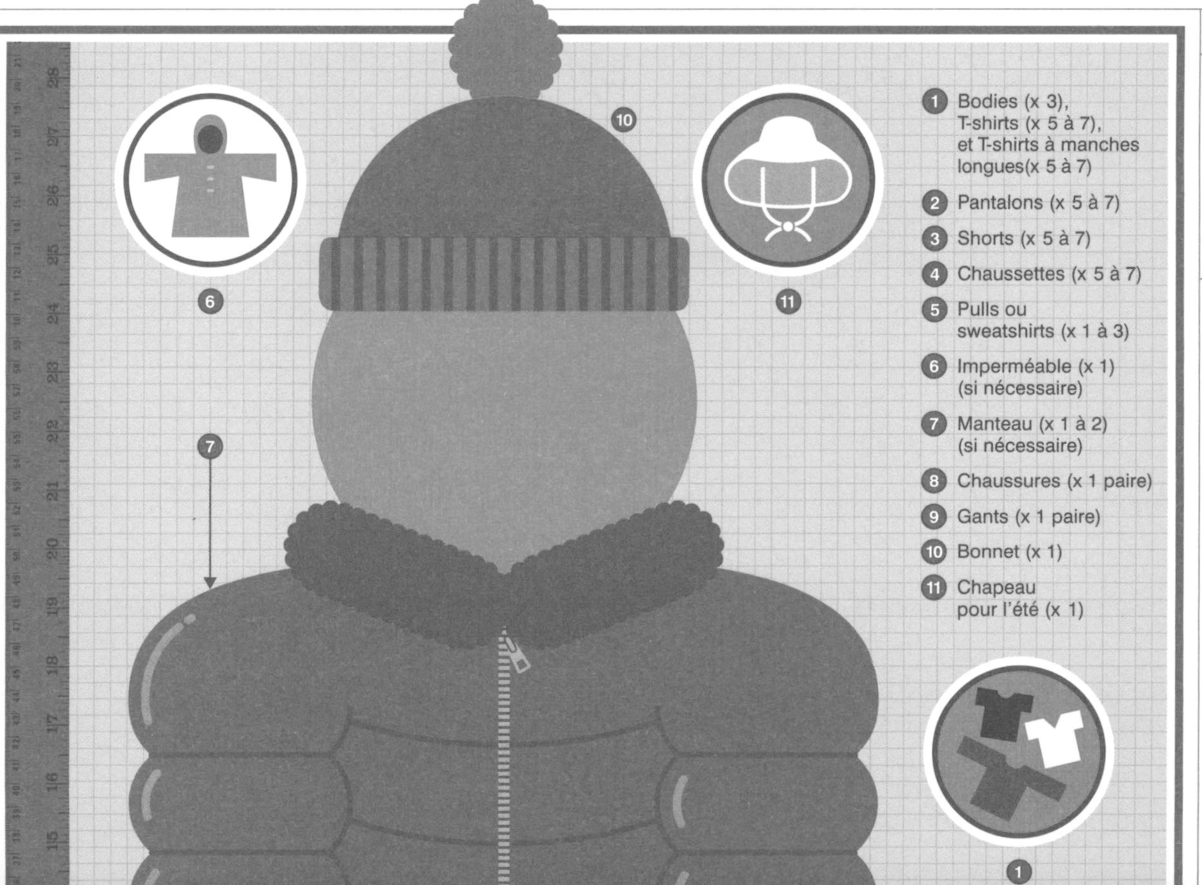
1 Bodies (x 3), T-shirts (x 5 à 7), et T-shirts à manches longues(x 5 à 7)
2 Pantalons (x 5 à 7)
3 Shorts (x 5 à 7)
4 Chaussettes (x 5 à 7)
5 Pulls ou sweatshirts (x 1 à 3)
6 Imperméable (x 1) (si nécessaire)
7 Manteau (x 1 à 2) (si nécessaire)
8 Chaussures (x 1 paire)
9 Gants (x 1 paire)
10 Bonnet (x 1)
11 Chapeau pour l'été (x 1)

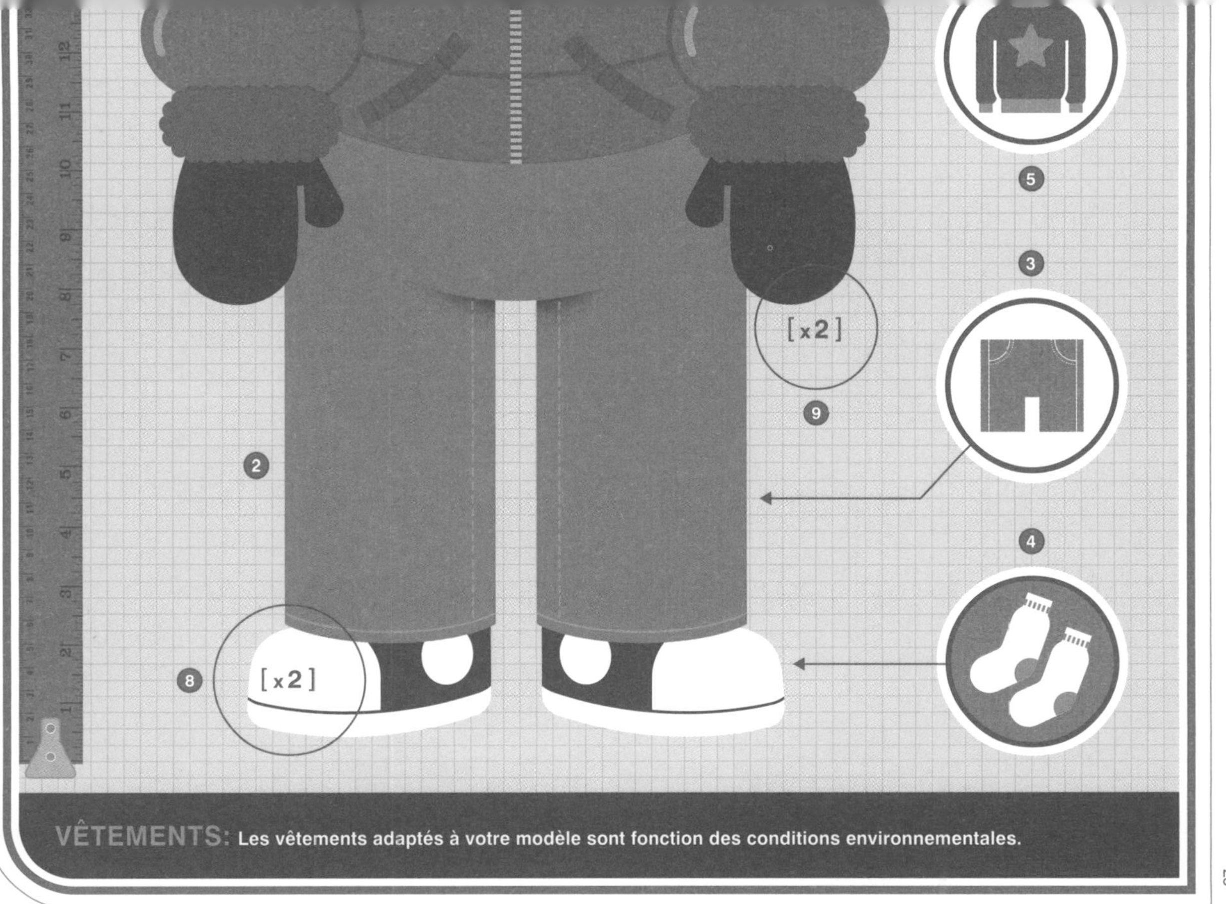

VÊTEMENTS: Les vêtements adaptés à votre modèle sont fonction des conditions environnementales.

Mise à jour pour le transport

L'utilisateur de bébé que vous étiez possède déjà certains accessoires permettant le transport de l'enfant. Toutefois, il se peut que le développement physique de votre modèle nécessite la mise à jour de la plupart de ces accessoires.

⚠ ***ATTENTION ! :*** *vous pouvez continuer à utiliser sièges coque et sièges baquet pour bébé tant que l'enfant n'a pas dépassé la taille et le poids indiqués par le fabricant. Dès que l'enfant dépasse ces dimensions, cessez immédiatement d'utiliser ces accessoires et remplacez-les par d'autres, adaptés à l'enfant.*

Sièges auto

L'enfant doit continuer à être transporté dans un siège auto installé à l'arrière de la voiture (de préférence sur la place du milieu). Beaucoup de sièges auto peuvent s'utiliser en position face à la route ou dos à la route. En revanche, n'installez pas l'enfant face à la route avant qu'il ait atteint l'âge et le poids minimum pour cela (en général, un an après la livraison et un poids de 9 kilos).

Siège baquet (Fig. A) : un siège baquet est un siège auto qui n'est pas conçu pour être sorti de la voiture. Il doit s'utiliser conformément aux spécifications du fabricant concernant la taille et le poids de l'enfant, le plus souvent entre 1 et 4 ans. La plupart de ces sièges possèdent un harnais à cinq points ajustable et des rembourrages. De plus, une sangle qui part du haut du siège auto peut se fixer sur un crochet solidement fixé à l'arrière du véhicule. Cette sangle garantit une sécurité supplémentaire, en fixant le siège à la banquette

SIÈGES AUTO

(Fig. A)
SIÈGE BAQUET

1. De 1 à 4 ans
2. Harnais cinq points
3. Sangle assurant une sécurité supplémentaire
4. Ceinture de sécurité ajustable
5. Respectez les spécifications concernant le poids et la taille

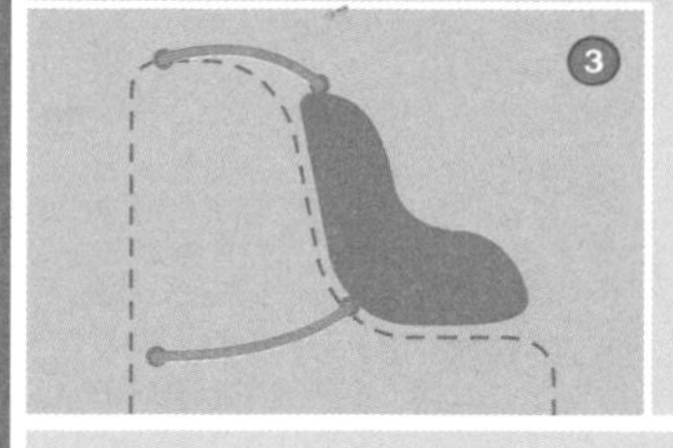

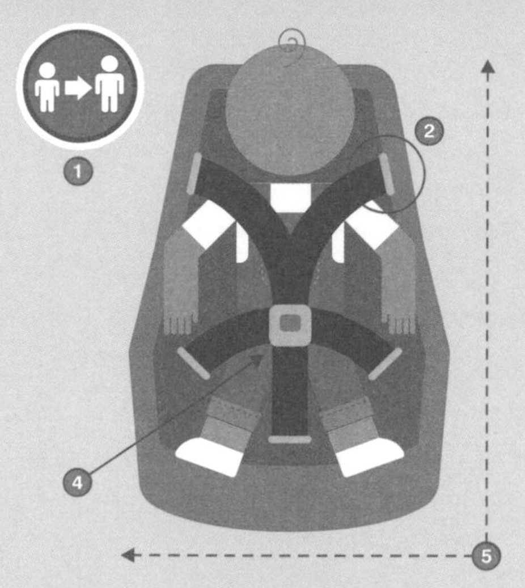

(Fig. B)
RÉHAUSSEUR

1. À partir de 4 ans
2. Utilise la ceinture de sécurité
3. La ceinture repose sur les hanches et la poitrine(pas l'abdomen et le cou)
4. Respectez les spécifications concernant le poids et la taille

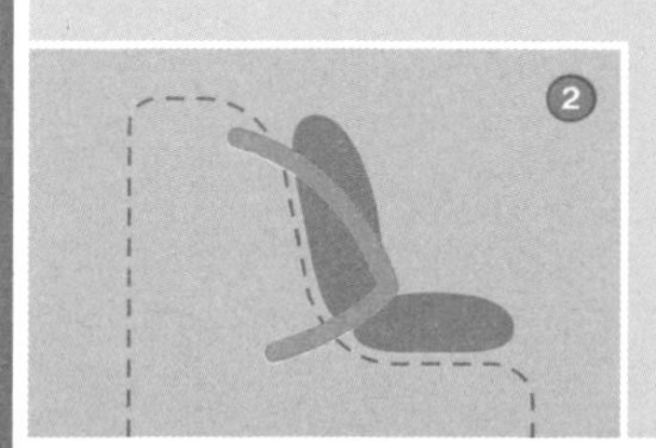

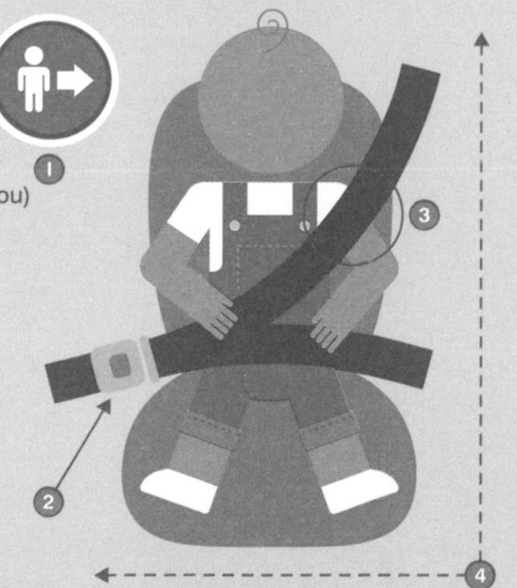

CONSEIL D'EXPERT : *les véhicules récents sont équipés d'un point d'ancrage permettant de fixer la sangle du siège auto. Si votre voiture n'en possède pas, demandez à votre garagiste de vous en installer un.*

Rehausseurs (Fig. B) : un rehausseur ressemble à un siège auto. Toutefois, il n'est pas fixé à la banquette arrière, mais simplement posé dessus. C'est la ceinture de sécurité qui maintient l'enfant qui retient également le rehausseur. Ces accessoires peuvent s'utiliser une fois que l'enfant a 4 ans et pèse 18 kg. Lorsqu'il est installé sur le rehausseur, la ceinture de sécurité doit passer sur ses hanches et sur sa poitrine, et non sur l'abdomen et le cou.

Dispositifs roulants

Hormis les poussettes, différents véhicules permettent le transport des enfants sur les trottoirs, dans les magasins et partout où l'enfant refuse de se mettre en mode « marche autonome ».

VÉHICULES

Modèle : POUSSETTE

Nombre de roues : 4 à 8

Pilotage : utilisateur de l'enfant.

Casque : facultatif, à l'appréciation de l'utilisateur.

Fonctionnement : poussé par l'utilisateur.

Conseils d'utilisation : convient au transport tout-terrain ; le modèle « double » est prévu pour le transport d'unités multiples (frères, sœur, copains).

Modèle : TRICYCLE

Nombre de roues : 3

Pilotage : enfant ou utilisateur (de nombreux modèles permettent le blocage des pédales et l'ajout d'une barre).

Casque : obligatoire.

Fonctionnement : l'enfant pédale ou pousse avec ses pieds ; l'adulte pousse.

Conseils d'utilisation : s'utilise de préférence préférence sur le trottoir, en compagnie d'un adulte qui supervise l'opération.

Modèle : WAGON

Nombre de roues : 4

Pilotage : utilisateur de l'enfant.

Casque : facultatif, à l'appréciation de l'utilisateur.

Fonctionnement : poussé ou tiré par l'utilisateur.

Conseils d'utilisation : utile dans les supermarchés, les ecntres commerciaux et sur les trottoirs. Tirez le chariot derrière vus en marchant. Regardez régulièrement l'enfant pour vérifier qu'il est bien installé.

CONTENT · MAUSSADE · GROGNON

[Chapitre 2]

Entretien général et manipulation

Manipuler et porter l'enfant

Le développement physique de l'enfant autorise désormais l'application de nouvelles procédures de manipulation. Toutefois, le plus grand soin continue à s'imposer lors de ces opérations. Ainsi, il est conseillé aux utilisateurs de se laver les mains régulièrement. Toutefois, lorsque l'unité a atteint sa deuxième année de fonctionnement, son système immunitaire est plus performant. Cette procédure n'a donc plus besoin d'être mise en œuvre aussi souvent qu'avant.

Soulever l'enfant

Comme le cou et le dos de l'enfant sont renforcés, les précautions nécessaires lorsqu'il était bébé ne sont plus indispensables.

⚠ ***ATTENTION :*** *les os, les articulations et les ligaments vont continuer à se développer. Pour soulever l'enfant, saisissez-le toujours sous les deux bras. Ne le soulevez jamais et ne l'attrapez jamais par les bras ou par les jambes. Cela pourrait provoquer un dysfonctionnement temporaire mais récurrent des extrémités.*

[1] Glissez vos mains sous les aisselles de l'enfant.

[2] Saisissez doucement l'enfant, en le tenant fermement, mais sans trop appuyer.

[3] Soulevez-le directement vers le haut et rapprochez-le de vous, pour bien le maintenir.

[4] Posez-le sur votre hanche ou utilisez une autre prise (voir plus bas.)

⚠ ***CONSEIL D'EXPERT :*** *quand l'enfant a atteint 10 kg, servez-vous des muscles de vos jambes, et non de ceux de votre dos, pour le soulever. Accroupissez-vous, prenez l'enfant et redressez-vous en poussant sur vos jambes.*

Installation sur les épaules (Fig. A)

Cette procédure est recommandée pour les enfants d'un certain poids ainsi que pour parcourir de longues distances. Certains modèles n'apprécie pas cette place, plus éloignée du sol que leur position habituelle.

⚠ ***ATTENTION :*** *soyez prudent en passant dans l'encadrement des portes ou sous les arbres avec un enfant sur les épaules : il vous faudra peut-être plier légèrement les jambes pour éviter que votre passager ne se cogne.*

[1] Placez l'enfant devant vous (il vous tourne le dos) et saisissez-le sous les aisselles.

[2] Soulevez-le et tenez-le au-dessus de votre tête.

[3] Asseyez-le sur vos épaules de manière à ce que ses jambes passent de part et d'autre de votre nuque et que son ventre repose contre votre tête.

[4] Dites-lui de bien se tenir en passant ses bras autour de votre tête, en s'agrippant à votre front ou, si ses bras sont assez longs, en les croisant sous votre menton.

[5] Levez les deux bras et posez vos mains sur le dos de l'enfant, pour le maintenir en place pendant le trajet. Une fois qu'il saura bien se tenir, vous pourrez maintenir ses pieds en marchant.

(Fig. A)

PRISE SUR LES ÉPAULES

1. Mettez-vous derrière l'enfant (qui vous tourne le dos)
2. Pliez les jambes et attrapez l'enfant sous les aisselles
3. Soulevez l'enfant et passez-le au-dessus de votre tête
4. Installez l'enfant fermement sur vos épaules, puis maintenez-le par le dos
5. ATTENTION : Noubliez pas que l'enfant peut heurter des obstacles en hauteur, notamment des encadrements de porte

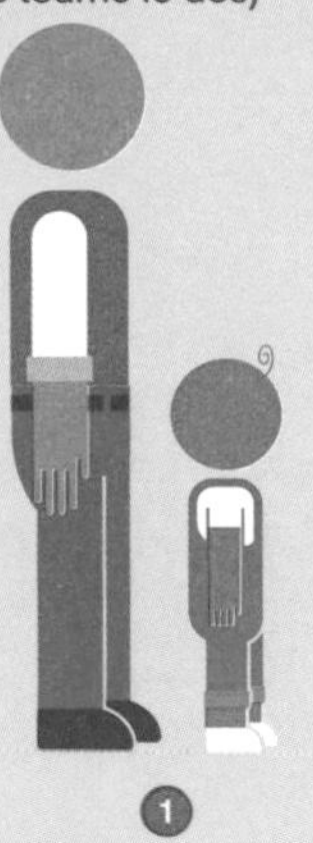

(Fig. B)

PRISE SUR LE DOS

1. Agenouillez-vous devant l'enfant
2. Demandez-lui de vous tenir par le cou
3. Tenez l'enfant avec vos deux bras puis penchez-vous en avant, à 45°
4. Restez penché vers l'avant en vous redressant
5. ATTENTION : Noubliez pas que l'enfant peut heurter des obstacle en hauteur, notamment des encadrements de portes

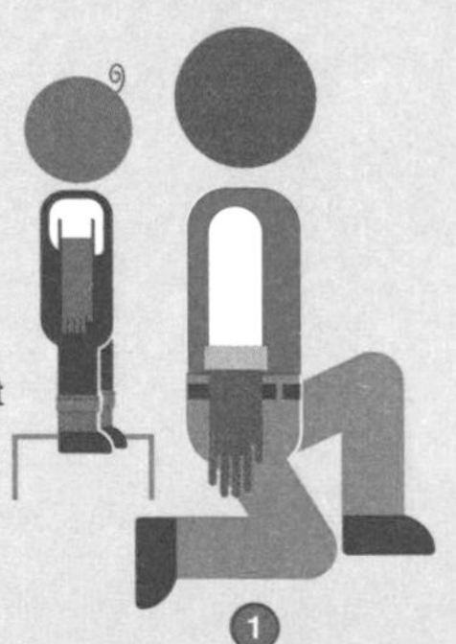

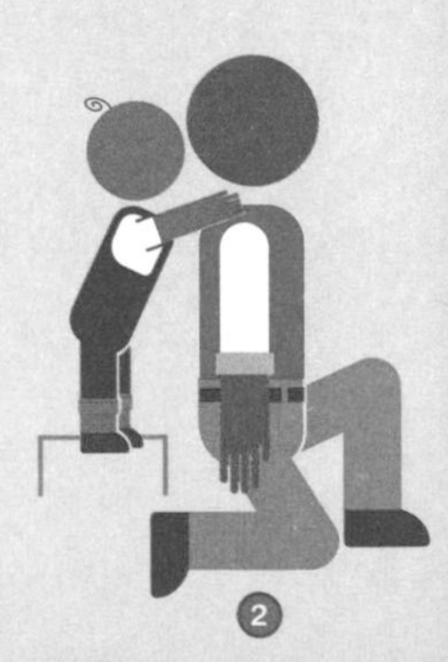

SE DÉPLACER AVEC L'ENFANT: Installez l'enfant sur vos

épaules pour les longues distances et sur votre dos pour les petits trajets.

Prise sur le dos (Fig. B)

Installez l'enfant sur votre dos lorsque pour de petits trajets ou jouer.

[1] Agenouillez-vous devant l'enfant, qui est face à votre dos.

[2] Demandez-lui de passer ses bras autour de votre cou. Puis passez vos bras autour de lui, pour le maintenir.

[3] Maintenez l'enfant en gardant vos bras autour de lui et sous lui, puis penchez-vous en formant un angle de 45°. Appuyez son corps contre le vôtre.

[4] Restez incliné vers l'avant en vous redressant, et tenez l'enfant par en dessous.

Réconforter l'enfant

L'une des caractéristiques communes à tous les modèles est leur besoin simultané d'autonomie et de sécurité. Cette contradiction dans la programmation exige un recours fréquent à l'utilisateur pour obtenir du réconfort, en attendant que l'enfant sache s'apaiser tout seul. Beaucoup de modèles émettent des signaux visuels (moues, larmes) et sonores (pleurs, gémissements) pour manifester leur besoin de réconfort. Utilisez les procédures suivantes pour réconforter l'enfant et pour créer un avec lui un lien solide.

Caresses sur la tête : Passez vos doigts sur la tête de l'enfant, en faisant des allers-retours et des mouvements circulaires lorsque vous lui lisez un livre, que vous installez son pyjama et à chaque fois qu'il a besoin de réconfort. Les caresses sur la tête peuvent aussi servir de récompense lorsque l'enfant adopte un bon comportement.

Câlins : Les enfants aiment être serrés dans les bras. Toutefois, certains modèles se sentent entravés par cette manipulation. En règle générale, les câlins contribuent à accroître le sentiment de sécurité de l'enfant.

CONSEIL D'EXPERT : *laissez l'enfant libre de ses mouvements pendant que vous lui faites un câlin – n'imposez pas de restrictions et ne programmez pas les câlins à certains moments, à l'exclusion de toute autre période. Cette liberté permettra au programme d'auto-apaisement de s'installer tout seul.*

Caresses sur les lobes d'oreilles : Prenez doucement le lobe des récepteurs audio de votre enfant entre le pouce et l'index. Faites bouger vos doigts en exerçant un mouvement circulaire. Cette procédure aide certains enfants à passer en mode sommeil ou à se mettre en veille.

Chansons : Dès son plus jeune âge, l'enfant intègre les sons et les rythmes de la musique. Associées au son de la voix de ses utilisateurs, les chansons peuvent apaiser un système d'exploitation dont le fonctionnement est devenu chaotique.

Féliciter l'enfant

Les félicitations non ciblées permettent à l'enfant de se sentir bien (par exemple « super » ou « bravo »). Toutefois, s'il apprécie cette attention positive, l'enfant ne sait pas forcément ce qui lui a valu cette attention.

Formulez plutôt des félicitations précises, en exprimant clairement votre approbation et ses motivations, pour renforcer les bons comportements de l'enfant. Soyez précis : dites par exemple « Merci d'avoir utilisé ta voix d'intérieur ». Ainsi, l'enfant pourra associer les félicitations à un comportement donné.

Jouer avec l'enfant

Les félicitations non ciblées permettent à l'enfant de se sentir bien (par exemple « super » ou « bravo »). Toutefois, s'il apprécie cette attention positive, l'enfant ne sait pas forcément ce qui lui a valu cette attention Formulez plutôt des félicitations précises, en exprimant clairement votre approbation et ses motivations, pour renforcer les bons comportements de l'enfant. Soyez précis : dites par exemple « Merci d'avoir utilisé ta voix d'intérieur ». Ainsi, l'enfant pourra associer les félicitations à un comportement donné.

Interactions dirigées par l'enfant

Les conseils suivants permettront d'améliorer l'autonomie de votre modèle et de renforcer les liens entre vous, pendant les jeux structurés.

[1] Entrez dans l'univers de votre enfant et jouez avec lui. Laissez-le prendre les commandes et suivez ses instructions (sauf bien sûr s'il a un comportement dangereux ou négatif).

[2] Laissez l'enfant décider où il s'installe et avec quels objets il joue. Résistez à l'envie de lui expliquer comment faire telle ou telle chose.

[3] Permettez-lui de diriger la conversation, le cas échéant. Ne posez pas de questions l'incitant à faire ceci ou cela, comme « Et maintenant, qu'est-ce que tu vas faire ? » ou bien « Tu vas colorier, maintenant ? »

[4] Ne corrigez pas ses actions (« Mais non, ça ne va pas là »). Encouragez-le à explorer son environnement par le jeu, le tâtonnement et la résolution de problèmes.

[5] Soyez enthousiaste et exalté. N'ayez pas peur de faire l'enfant.

[6] Félicitez-le pour les bons comportements. Le recours fréquent aux félicitations permet de programmer les bons comportements. Les processeurs internes de l'enfant intégreront la cause (nettoyage des jouets) et l'effet (vos félicitations). La plupart des enfants s'efforcent d'obtenir des félicitations.

[7] Établissez régulièrement un contact physique avec lui. Touchez-le souvent, pendant une ou deux secondes. Posez vos bras autour de ses épaules, faites-lui un câlin rapide ou un bisou, ou caressez ses cheveux, sa joue ou l'arrière de sa tête, pour manifester votre amour et votre approbation.

[8] Décrivez ce que l'enfant est en train de faire, pour attirer son attention et l'aider à se concentrer. Cette attention aura de surcroît un effet apaisant.

[9] Imitez les bons comportements, pour montrer à l'enfant que vous approuvez son activité. L'imitation permet aussi le partage.

[10] Répétez ou paraphrasez ce que dit l'enfant. Cela améliorera ses compétences linguistiques.

⚠ ***ATTENTION**: les comportements décrits ci-dessus sont destinés à améliorer de bons comportements. Ne les utilisez pas en réaction à de mauvais comportements. Si l'enfant se comporte mal, reportez-vous au chapitre 7 : « Discipline ».*

Musique et danse

La musique et la danse peuvent être intégrées aux jeux. Cela divertira l'enfant tout en permettant l'installation de divers programmes liés au rythme, à la répétition, au langage, à l'organisation, à l'apprentissage et au schéma corporel. Utilisez les procédures suivantes lorsque vous écoutez de la musique ou lorsque vous chantez ou dansez avec l'enfant.

[1] Chantez des chansons ayant une structure simple et un rythme facile, aisés à reproduire.

[2] Faites des gestes pour illustrer les paroles de la chanson. Beaucoup d'enfants exécutent les mouvements de mains avant de savoir chanter.

[3] Laissez l'enfant découvrir des instruments de musique et les essayer. Permettez-lui d'explorer les instruments et de découvrir les différentes manières de produire des sons avec ces objets.

[4] Lorsque vous dansez ou que vous jouez d'un instrument, interrompez-vous soudain, puis reprenez. L'enfant se prendra peut-être au jeu et cherchera à anticiper la suite, en se concentrant pleinement sur vous et sur la musique. Cet exercice développe également son sentiment de contrôle sur son corps.

[5] Apprenez à l'enfant des pas de danse à répéter, mais laissez-lui aussi la liberté de créer ses propres mouvements. Certains parents exécutent quelques pas, puis ils répètent les pas de l'enfant. Cette activité aide l'enfant à développer ses compétences d'organisation, ainsi que sa créativité.

Jouets

L'utilisation de jouets adaptés à l'âge de l'enfant est essentielle à son développement. Lorsque vous achetez des jouets, lisez attentivement les conseils d'utilisation, et notamment les recommandations du fabricant concernant l'âge minimum de l'enfant. Les petits n'ont qu'une conscience limitée du danger : par conséquent, ne leur donnez pas des jouets avec des angles vifs, des petites pièces ou des parties risquant de se détacher.

CONSEIL D'EXPERT : *Il existe pléthore de jouets, adaptés à tous les modèles d'enfants. Toutefois, les plus appréciés (et les moins chers) sont souvent des objets de la vie quotidienne. Par exemple, une boîte remplie de mouchoirs en papier et emballée avec un ruban fera le bonheur de son destinataire. Parmi les autres objets pouvant être utilisés en toute sécurité, citons les rouleaux de papier toilette ou d'essuie-tout, les cuillères en bois, les spatules, les casseroles, les dessous de verre et les récipients en plastique.*

Jouets pour modèles de 12 à 24 mois

Jouets à tirer et à pousser : Lorsque l'enfant commence à marcher, les jouets à tirer et à pousser l'aident à améliorer cette compétence.

Balles : Les balles (d'une taille supérieure à celle de la bouche de l'enfant) permettent l'installation de diverses fonctions : les petites balles souples apprennent à attraper et à lancer, les balles de taille moyenne permettent de manipuler et de donner des coups de pieds. Quant aux ballons, on peut les pousser, les faire rebondir ou leur courir après.

Cubes et briques de construction : Les cubes et les briques peuvent être empilés ce qui améliore la motricité fine de l'enfant, triés pour améliorer les capacités cognitives ou bien assemblés pour développer la créativité.

Livres illustrés et cartonnés: L'enfant apprécie les livres qui racontent des histoires simples et qui permettent de reconnaître des formes, des couleurs, des chiffres et des lettres. La plupart des modèles s'intéressent aux livres colorés et permettant une stimulation tactile ou des mouvements. Les ouvrages cartonnés leur permettent de « lire » de manière autonome. Par ailleurs, les enfants aiment ce qui est répétitif: soyez prêt à lire et à relire le même livre plusieurs jours d'affilée. Achetez des petits livres qui tiendront facilement dans le lit de l'enfant pour favoriser le passage en mode « je-m'occupe-tout-seul ».

Loisirs créatifs: Tampons encreurs, craies, pâte à modeler, peintures, feutres et crayons de couleurs: tous ces accessoires permettront à l'enfant de développer sa capacité à gribouiller et à dessiner sur une feuille de papier ou sur d'autres surfaces. Un chevalet ou une table lui permettront de déployer son talent tout en contenant ses ardeurs artistiques dans un espace limité.

Voitures, camions et train: Ils doivent être d'une certaine taille, de qualité et dépourvus de petites pièces; ils aident à l'enfant à développer sa motricité fine. De plus, les circuits de train, les chantiers de construction ou les stations-service permettent d'imaginer des histoires réalistes.

Poupées et maisons de poupées: De bons outils pour développer l'imagination de l'enfant. Celui-ci mettra en scène différentes situations de la vie de famille, ce qui vous donnera accès à ses émotions. Les poupées d'une certaine taille et comportant des parties articulées aideront l'enfant à mettre au point ses compétences motrices fines et lui apprendront à manipuler les vêtements (fermetures à glissière, boutons, rubans à nouer, etc.).

Instruments de musique: Tous les types d'instrument permettent à l'enfant de créer son propre programme musical tout en lui apprenant le principe de la relation de cause à effet. Utilisez des instruments en plastique, avec des composants faciles à utiliser : hochets, crécelles, mirlitons, clochettes, etc.

Tricycles et autres jouets roulants : Les véhicules à trois ou à quatre roues, de faible hauteur développent la coordination et l'équilibre.

Jouets de sable : Pelles, seau et râteaux familiarisent l'enfant avec le sable et la terre et favorisent l'exécution de programmes d'auto-divertissement.

Jouets pour enfants de 2 à 3 ans

À partir de la 3e année de fonctionnement, continuez à utiliser les jouets présentés ci-dessus, mais ajoutez-y d'autres, plus complexes, comme ceux-ci :

Jeux de construction : Les kits de construction améliorent la capacité à trier, à suivre des instructions et à assembler des objets. Certains contenant de petites pièces, l'enfant doit avoir au moins 3 ans pour s'en servir. Consultez les instructions du fabricant concernant l'âge minimum avant d'acheter ces jouets.

Puzzles : Les modèles ayant pratiqué l'assemblage de puzzles ont plus tard des résultats supérieurs à la moyenne en mathématiques, en orthographe et en sciences. Pour commencer, proposez les puzzles simples à l'enfant (6 à 12 pièces), puis passez à des tâches plus compliquées, de 24 jusqu'à 64 pièces.

Jeux : Les jeux de mémorisation et les casse-tête sont conseillés pour cette classe d'âge.

Équipements sportifs : De nombreux équipements sportifs existent en formats et matériaux adaptés aux enfants (mousse ou plastique). Ils contribuent à développer des compétences physiques.

DE 12 À 24 MOIS

1. Tricycles et autres véhicules
2. Fournitures pour les arts créatifs
3. Petites voitures, camions et trains
4. Jouets à pousser et à tirer
5. Poupées
6. Pour le bac à sable
7. Livres illustrés et cartonnés
8. Instruments de musique

MISE À JOUR : DE 2 À 3 ANS

9. Jeux de construction
10. Équipements sportifs
11. Puzzles
12. Jeux de mémoire

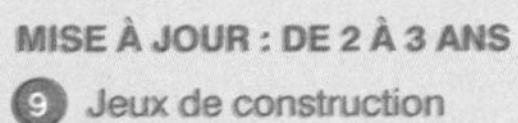

JEUX : L'utilisation d'accessoires de jeux adaptés (vendus séparément) est

indispensable à son bon développent physique et cognitif.

Voyager avec l'enfant

Appliquez les procédures suivantes pour occuper l'enfant pendant le voyage et assurer sa sécurité.

En voiture

Les stratégies à mettre en œuvre dépendent de la durée du trajet. Sur de grandes distances (voyage de plus d'une heure), le défi consiste à occuper l'enfant pour éviter qu'il s'ennuie. Emportez quantité de livres, des petits jouets, de la musique, des choses à boire et à manger, pour lui changer les idées. De plus, prévoyez des pauses fréquentes, toutes les heures ou toutes les deux heures (en fonction de l'humeur de l'enfant). Sortez de la voiture, étirez-vous et jouez pendant 15 minutes, à chaque pause.

⚠ ***ATTENTION :*** *Ne sortez jamais l'enfant de son siège auto pendant que la voiture roule. Attendez toujours l'arrêt complet.*

En avion

Un voyage aérien peut déclencher différentes émotions préprogrammées, comme l'excitation, l'ennui et l'anxiété. Plus le vol est long, plus le risque d'être confronté à des manifestations de ce type est élevé. Tenez compte de la durée du vol et adaptez les stratégies à mettre en œuvre.

Préparation du vol

[1] Choisissez le vol en fonction des horaires de sommeil de l'enfant. Ainsi, vous pourrez préférer voyager de nuit pour que l'enfant dorme durant la majeure partie du vol. Toutefois,s'il ne s'endort pas, il sera encore plus fatigué et grognon.

TRANSPORT AÉRIEN

CONSEILS POUR LE VOYAGE EN AVION

1. Pomponnez votre modèle
2. Choisissez un vol de nuit pour avoir du calme
3. Équipez votre modèle d'un bracelet d'identification
4. Emportez le siège-auto de l'enfant : cela améliorera sa sécurité et son confort
5. Réservez les places de la première rangée

LISTE DES FOURNITURES

6. Couches (le double de la quantité habituelle)
7. Vêtements de rechange
8. En-cas équilibrés
9. Boissons
10. Jouets (nouveaux jouets et jouets préférés)

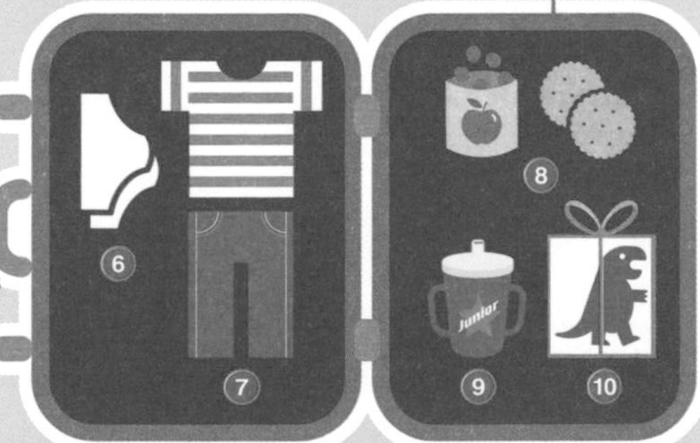

[2] Prenez un vol direct, en dehors des périodes d'affluence. En milieu de semaine et en milieu de journée, vous aurez plus de chances de trouver des places libres dans l'avion : ainsi, vous serez plus à l'aise et vous pourrez laisser davantage de liberté de mouvement à votre petit passager remuant.

[3] Demandez à votre agence de voyage ou à votre compagnie aérienne s'il est possible de réserver les sièges de la première rangée : il y a davantage de place au sol et l'enfant aura plus d'espace pour se déplacer.

CONSEIL D'EXPERT : *beaucoup de compagnies aériennes attribuent les places des premières rangées au dernier moment. À l'enregistrement ou à l'embarquement, demandez les meilleures places possibles.*

[4] Envisagez d'emporter le siège auto de l'enfant, pour qu'il puisse y prendre place dans l'avion. Il sera protégé en cas de turbulence et se trouvera dans un environnement familier, dans lequel il est habitué à rester longtemps. Ainsi, vous accroîtrez la probabilité qu'il se comporte bien et qu'il s'endorme.

[5] Sachez que l'avion peut avoir du retard ou être contraint de faire une escale imprévue. Emportez deux fois plus de couches et de lingettes que nécessaire, ainsi que des vêtements de rechange et des choses à grignoter.

[6] Emportez différentes choses à manger dans l'avion. Remplissez une boîte en plastique de barres de céréales, de bâtonnets de fromage, de biscuits sucrés et salés, et de fruits. Prenez également un assortiment de boissons.

[7] Prenez suffisamment de jouets (petits et silencieux) pour occuper l'enfant et lui changer les idées. Pensez à emporter quelques-uns de ses jouets et livres préférés, ainsi que de nouveaux, que vous lui ferez découvrir dans l'avion.

Le jour du départ

[1] Pomponnez l'enfant avant le départ : les autres passagers seront plus bienveillants et prêts à vous aider si l'enfant est propre et mignon.

[2] Équipez l'enfant d'un bracelet d'identification. Notez-y votre nom, votre destination, le numéro de vol, votre adresse à la maison, et vos numéros de téléphone (domicile et portable).

[3] Avant l'embarquement, laissez l'enfant se dégourdir les jambes. Marchez du parking jusqu'au terminal, et aller faire un tour dans l'aéroport.

[4] Avant d'arriver à l'aéroport, passez en revue les règles à respecter dans l'avion. Renouvelez la procédure en arrivant à l'aéroport et au moment de l'embarquement. Quelques exemples de règles : on ne donne pas de coups de pieds dans les sièges, on parle à voix basse, on ne saute pas, on ne court pas et on reste attaché tant que le signe « ceintures bouclées » est allumé.

[5] Si vous voyagez avec un autre utilisateur, séparez-vous au moment de l'annonce pour l'embarquement. Un adulte peut entrer dans l'avion pour ranger les bagages à main et le siège auto. L'autre restera avec l'enfant qui se dégourdira les jambes et qui sera occupé, pour embarquer au dernier moment.

CONSEIL D'EXPERT : *lors du décollage et de l'atterrissage, la pression dans la cabine change, ce qui peut entraîner une sensation désagréable dans les oreilles de l'enfant. Mâcher du chewing-gum, sucer une sucette ou une tétine, ou boire du jus dans une tasse à bec ou avec une paille peut contribuer à atténuer cette pression.*

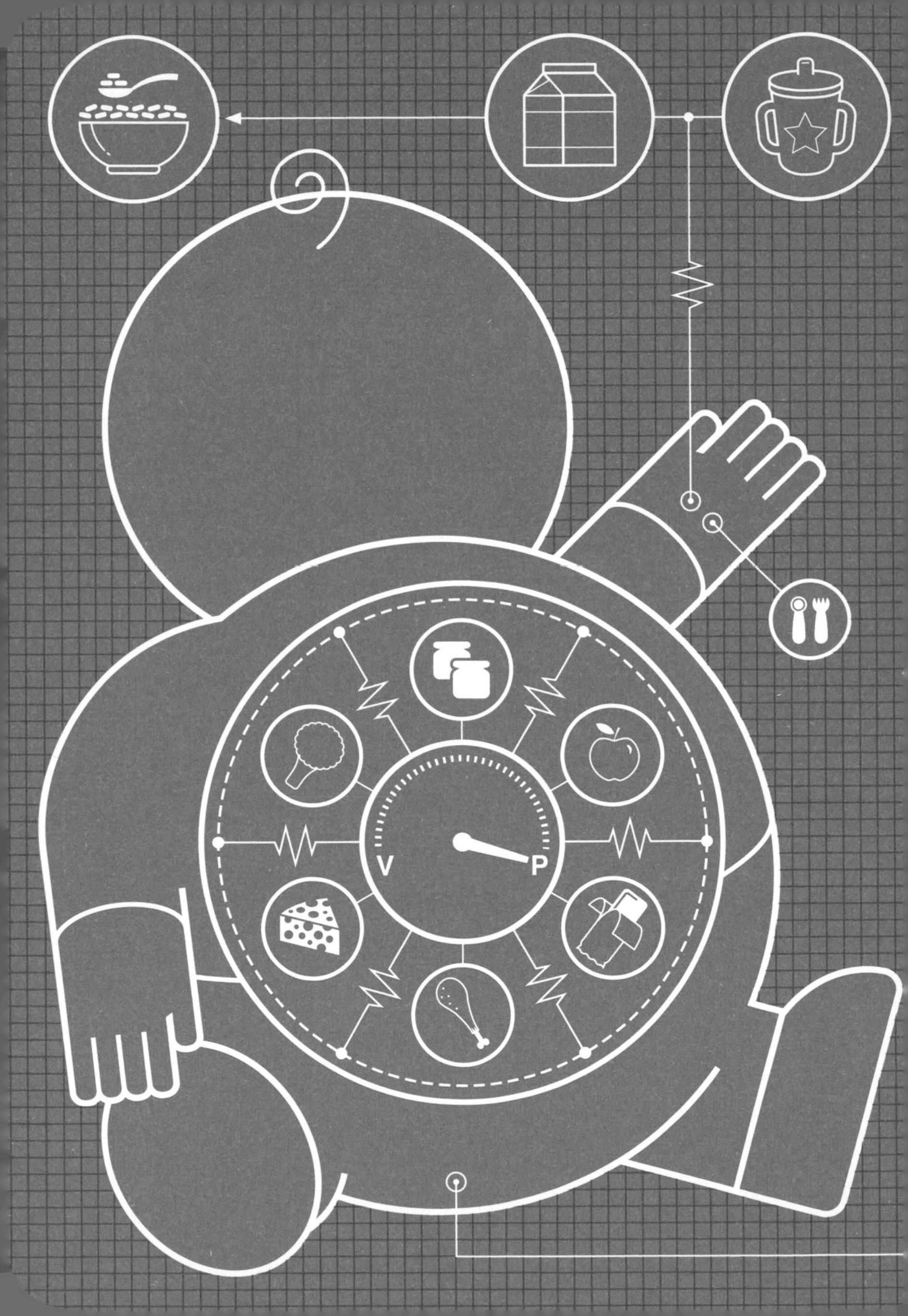
V
P

[Chapitre 3]

Alimentation : maîtriser l'apport en énergie

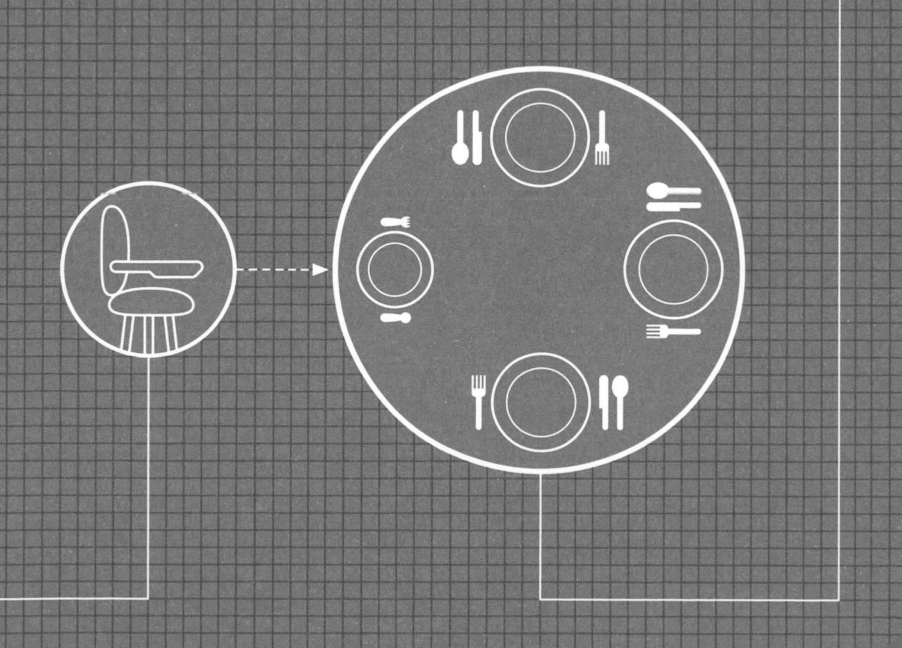

Passage de l'allaitement ou du biberon au gobelet

Cette procédure ne s'exécute pas à une date précise, mais lorsque l'enfant et la mère sont prêts. Beaucoup de modèles sont opérationnels pour cette transition une fois que leur préhension est entièrement opérationnelle et qu'ils savent manger tous seuls avec leurs doigts.

Transition volontaire

Certains utilisateurs initient cette transition, tandis que d'autres préfèrent attendre que l'enfant soit demandeur. Si vous appartenez à cette seconde catégorie, cessez de proposer le sein ou le biberon à l'enfant, mais ne les lui refusez pas lorsqu'il les réclame. Progressivement, l'enfant cessera de demander. Toutefois, la durée du processus varie considérablement d'un modèle à l'autre.

Transition assistée

[1] Versez dans un gobelet une petite quantité de boisson nutritive que l'enfant apprécie (lait maternel, lait maternisé, lait de vache entier). Dans un premier temps, utilisez une tasse à bec, en enlevant éventuellement la partie qui empêche le récipient de se renverser, pour que l'enfant puisse plus facilement apprendre à téter le bec.

⚠ ***ATTENTION :*** *n'introduisez pas plusieurs changements simultanément. Si vous proposez à l'enfant de boire dans une tasse, versez-y un liquide qu'il apprécie (lait maternisé, lait maternel, lait entier). Pour changer le type de boisson, attendez que l'enfant se soit adapté à la nouvelle méthode d'absorption.*

[2] Versez une goutte sur le bec et glissez-le doucement dans la bouche de l'enfant. Si besoin, accompagnez son geste en posant vos mains sur les siennes, mais ne le forcez pas à boire. Il est possible que l'enfant joue un peu avec le gobelet avant d'en faire l'utilisation prévue.

CONSEIL D'EXPERT : *achetez plusieurs modèles de gobelet pour permettre à l'enfant de découvrir lequel il préfère. La plupart possèdent un couvercle pour empêcher le contenu de se renverser. Les plus jeunes préféreront les gobelets dotés de deux anses et d'un fond lesté.*

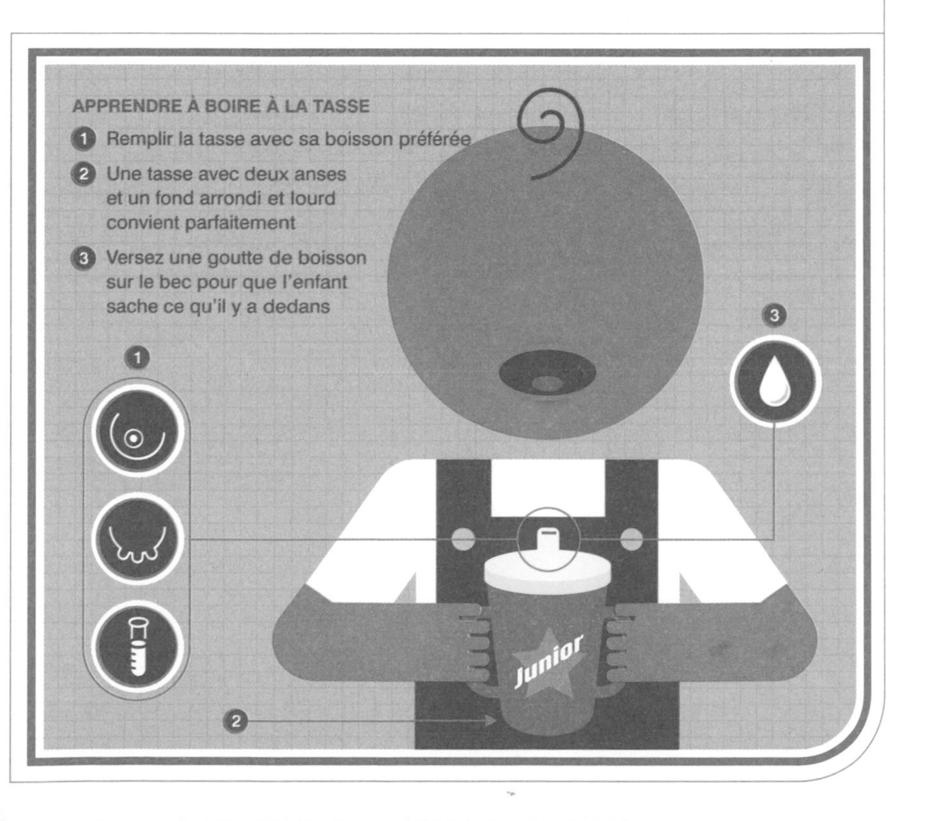

APPRENDRE À BOIRE À LA TASSE
1 Remplir la tasse avec sa boisson préférée
2 Une tasse avec deux anses et un fond arrondi et lourd convient parfaitement
3 Versez une goutte de boisson sur le bec pour que l'enfant sache ce qu'il y a dedans
3
1
Junior
2

[**3**] Une fois que l'enfant s'est familiarisé avec cette nouvelle méthode et qu'il la maîtrise parfaitement, rendez le contenu de la tasse plus attrayant et celui du biberon ou du sein moins intéressant. Ne laissez pas l'enfant boire au biberon en dehors des repas. Remplissez davantage la tasse et moins le biberon. Diluez progressivement le lait maternisé proposé dans le biberon, en ajoutant davantage d'eau. Mettez les boissons que l'enfant préfère (lait maternel, lait maternisé, lait entier) dans le gobelet et celles qu'il aime moins dans le biberon.

[**4**] Proposez-lui une tasse le matin, au réveil, et juste avant les repas, c'est-à-dire aux moments où il a le plus faim et où il est le plus susceptible de s'y intéresser. Retardez un peu l'heure du biberon ou du sein, ou bien reportez-les après un repas ou un en-cas, où l'enfant a le ventre plein.

[**5**] Supprimez petit à petit le sein ou le biberon, en éliminant un repas de ce type toutes les deux semaines. Commencez par supprimer le repas de milieu de journée, puis celui de la fin de l'après-midi, celui du matin, et enfin le biberon ou le sein du soir, avant d'aller se coucher.

[**6**] Écourtez toutes les tétées ou tous les biberons de nuit avant de les supprimer entièrement.

CONSEIL D'EXPERT: *Si l'enfant oppose une résistance active à vos tentatives de l'initier au gobelet, il est possible que le sein ou le biberon lui procurent du réconfort. Essayez de trouver des alternatives pour assouvir ce besoin. Prenez-le dans vos bras, bercez-le et chantez-lui des chansons, sans lui donner à manger.*

L'approvisionnement énergétique du système

L'enfant tire son approvisionnement énergétique des aliments et des boissons. Les conseils ci-dessous sont des paramètres généraux pour l'alimentation de votre modèle.

Besoins nutritionnels fondamentaux

Beaucoup d'utilisateurs surestiment la quantité de nourriture nécessaire à l'enfant. Un modèle de 2 ans grandit moins qu'un bébé de 9 mois : il est donc possible qu'il mange moins. La plupart des enfants sont en mesure de survivre et même de prospérer avec des quantités de nourritures qui semblent infimes. En réalité, un modèle âgé de deux ans n'a besoin que de huit à neuf bouchées par repas.

La règle générale est qu'un enfant a besoin de 900 à 1 200 calories par jour uniquement (comptez environ 102 calories par kilo) – ce qui représente une quantité de nourriture étonnamment limitée. À chaque repas, l'enfant doit prendre 1 cuillère à soupe d'aliment par année d'âge, dans chaque groupe d'aliments. Exemple : à chaque repas, un enfant de 3 ans doit manger 3 cuillerées à soupe de chacun des deux ou trois groupes d'aliments. La plupart des enfants répartissent leur consommation sur la journée, en prenant quelques bouchées lors d'un repas et en mangeant le reste au suivant. Ce processus peut même être étalé sur plusieurs jours.

Ne placez pas trop de pression sur le moment des repas. Il incombe à l'utilisateur de préparer des repas sains et équilibrés, et à l'enfant de décider des quantités qu'il mangera à chaque repas.

⚠ **ATTENTION :** *ne comptez pas le nombre de calories que consomme l'enfant. Ce qu'il mange sur plusieurs semaines ou sur plusieurs mois a plus d'importance que ce qu'il consomme en un repas ou même en une journée. Des études ont démontré que les enfants qui se voient proposer un choix d'aliments sains possèdent une capacité innée à absorber le nombre de calories et les produits dont ils ont besoin. Si vous pensez que votre enfant n'absorbe pas suffisamment de vitamines ou de sels minéraux, consultez son chargé de maintenance (ou « pédiatre ») pour voir s'il y a lieu de lui en prescrire.*

La pyramide alimentaire

De nombreuses études ont été réalisées sur les quantités adéquates d'aliments qu'un enfant doit manger dans chaque catégorie pour être en bonne santé. Reportez-vous à la pyramide ci-dessous pour instaurer de bonnes habitudes :

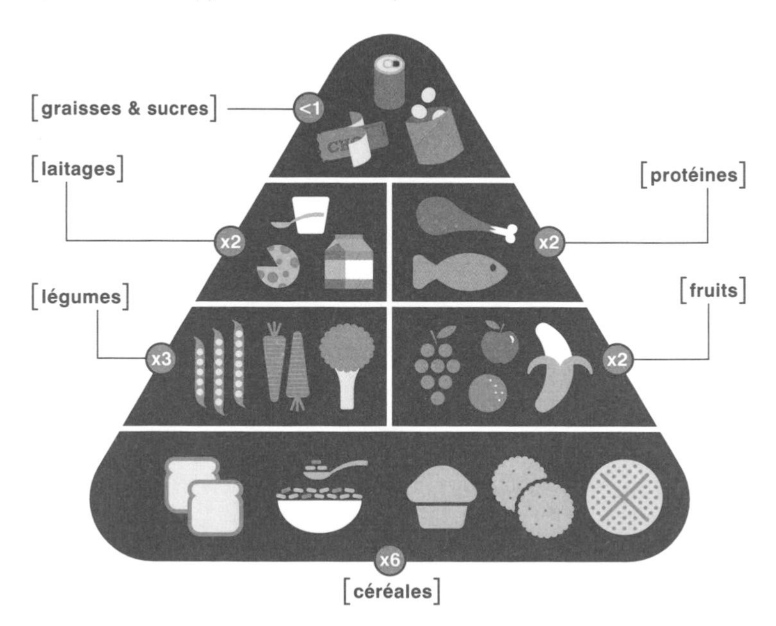

Céréales et féculents

Un enfant a besoin de cinq à six portions de céréales et de féculents par jour. Le pain complet possède un intérêt nutritionnel supérieur au pain blanc, et les biscuits sans graisses hydrogénées sont meilleurs que ceux contenant ces substances. Dans ce groupe d'aliments, on trouve le pain, les pâtes, les biscuits, les céréales, les flocons d'avoine et le riz.

Fruits et légumes

L'enfant doit consommer deux à trois portions de fruits ainsi que deux à trois portions de légumes par jour. Certains modèles se prennent de passion pour un fruit ou un légume en particulier. Continuez malgré tout à proposer de nouveaux aliments dans la même catégorie pour éveiller la curiosité de l'enfant et pour diversifier son alimentation. Beaucoup de modèles n'apprécient pas la peau des fruits. Or les fruits et les légumes non pelés sont riches en fibres, aussi persévérez à en proposer autant que possible.

Laitages

Limitez la consommation de laitages à l'équivalent de 240 à 355 ml de lait. Vers 12 mois, l'enfant commence à boire du lait de vache en plus du lait maternisé ou maternel, ou bien il ne boit plus que cela. Certains s'y mettent rapidement, d'autres ont besoin que le lait de vache soit chauffé ou chocolaté. Si vous ajoutez du cacao dans le lait, faites-le avec modération. Parmi les autres produits laitiers, citons les yaourts et le fromage.

⚠ ***ATTENTION :*** *consultez le chargé de maintenance de l'enfant si la consommation de produits laitiers de celui-ci est inférieure ou supérieure aux quantités préconisées. Le pédiatre pourra vous conseiller de passer à du lait écrémé ou demi-écrémé pour empêcher des problèmes de surpoids ou prescrire du calcium, pour éviter les carences.*

Protéines

Un enfant a besoin de deux à quatre portions de protéines par jour, chaque portion représentant entre 30 et 60 g. Choisissez de la viande non grasse. Dans ce groupe d'aliments, on trouve les œufs, la viande, le poisson, les produits à base de soja, comme par exemple le tofu, et les légumes secs.

Les aliments à limiter

Certains aliments, comme les cacahuètes (voir tableau p. 59), présentent un risque d'étouffement. Ils doivent être totalement bannis de l'alimentation de l'enfant jusqu'à ce que celui-ci ait au moins 4 ans. D'autres produits, comme le miel et le chocolat peuvent provoquer une réaction allergique chez certains modèles. Limitez l'accès de l'enfant aux produits suivants :

- ***Fast food.*** Ne proposez pas ces aliments plus d'une fois par mois. Ils risquent d'habituer l'enfant à consommer des produits très caloriques mais dépourvus d'intérêt sur le plan nutritionnel.
- ***Bonbons.*** Réservez les bonbons aux occasions spéciales, une ou deux fois par semaine seulement, ou bien dans le cadre d'un repas précis. Ne donnez jamais de bonbons durs et ronds : l'enfant risquerait de s'étouffer.
- ***Desserts.*** Limitez les desserts sucrés et privilégiez les yaourts et les fruits.

RISQUE D'ÉTOUFFEMENT : Ne donnez pas à l'enfant des aliments épais et collants, durs, ronds ou difficiles à mâcher. Avant 4 ans, évitez les aliments suivants :

- Caramels
- Bonbons
- Chewing-gum
- Glaçons non pilés
- Gros morceaux de viande
- Noix ou graines
- Pop-corn
- Carottes crues
- Céleri cru
- Petit pois crus
- Grains de raisin entiers

Boissons : les options

Les boissons sont indispensables à la croissance et à l'hydratation de l'enfant. Beaucoup de modèles se servent aussi des substances liquides pour faire descendre les aliments pendant les repas.

L'une des méthodes les plus efficaces pour apprendre à un enfant à consommer des boissons saines consiste à montrer l'exemple. Plus ses utilisateurs boivent des boissons saines, comme de l'eau ou du lait, pendant la journée et lors des repas, plus l'enfant aura de chances de faire de même. Vous pouvez lui donner les boissons suivantes.

Lait

À partir d'un an, il est possible de proposer du lait ordinaire à l'enfant. Donnez-lui du lait entier jusqu'à ses 2 ans. Ensuite, vous pourrez prendre du lait écrémé ou demi-écrémé, en fonction des préférences de la famille. De manière générale, l'enfant doit consommer au moins 475 ml de lait par jour (ou autres produits laitiers, voir p. 57).

Les laits de soja, de riz ou d'autres substituts peuvent être servis à partir de 2 ans, dès lors que la boisson est enrichie. Mieux vaut préférer le lait de vache, plus riche en nutriments, sauf en cas d'allergie.

Eau

Pour être bien hydraté, l'enfant doit boire 1 ou 2 verres d'eau (100 ml par kilo) par jour. S'il a du mal à prendre du poids, donnez-lui du lait entier, plutôt que de l'eau, pendant la journée.

Jus de fruits

Les jus de fruits font couler beaucoup d'encre chez les experts en alimentation infantile. Proposés en quantités trop importantes, ils peuvent provoquer des diarrhées et contribuer à des problèmes de poids. De plus, les jus sont pauvres en éléments nutritifs et contiennent parfois des sucres ajoutés, ce qui peut provoque une accoutumance aux saveurs sucrées et un sentiment prématuré de satiété.

L'enfant ne doit pas boire plus de 60 à 120 ml de jus de fruit par jour. Commencez par exemple la journée avec un jus de fruits, pour finir avec du lait et de l'eau au dîner.

Réduire la consommation de jus de fruits

Si votre enfant a une consommation excessive de jus de fruit et refuse toute autre boisson, appliquez la procédure suivante pour limiter sa consommation de jus et augmenter les quantités d'eau.

[1] Servez-lui un peu de jus le matin.

[2] Remplissez son gobelet avec un mélange à parts égales de jus et d'eau, à boire pendant la journée.

[3] Le soir, mettez dans sa tasse un quart (ou moins) de jus et trois quarts d'eau.

[4] Ne laissez pas l'enfant quitter la table avec son gobelet de jus. Dites-lui de rester assis pour finir de boire.

Les boissons à éviter

Les sodas, les jus de fruits, les nectars et autres laits aromatisés doivent être limités aux occasions spéciales et aux fêtes. Quant aux boissons caféinées, bannissez-les totalement de l'alimentation de l'enfant jusqu'à ce qu'il ait au moins 2 ans.

Programmation des heures de repas

La plupart des enfants prennent trois repas et deux en-cas par jours. Les trois repas sont le petit-déjeuner le matin, le déjeuner à midi et le dîner du soir. Les en-cas se consomment entre les repas, et parfois avant d'aller au lit, si l'enfant semble avoir faim. Pour programmer les horaires des repas, utilisez les stratégies suivantes :

CONSEIL D'EXPERT : *la préparation des aliments sous une forme adaptée à l'enfant est essentielle à la réussite de la procédure. Proposez-lui la nourriture en petits morceaux d'un ½ cm, pour éviter tout risque d'étouffement. Cuisez bien les aliments (quitte à ce qu'ils soient même un peu trop cuits) : ils seront plus mous et plus faciles à mâcher. De nombreux modèles n'aiment pas que les aliments soient mélangés et préfèrent qu'ils soient séparés par catégorie.*

[**1**] Programmez le petit-déjeuner, le déjeuner et le dîner de l'enfant à la même heure que vos repas : cette organisation permettra de mettre en place des comportements adéquats et de lui transmettre une attitude saine concernant la diversité des aliments.

[**2**] Les repas doivent être équilibrés et variés. Proposez deux ou trois aliments différents, voire davantage (par exemple, de la dinde, des légumes et des pommes de terre).

[**3**] Lors des repas, efforcez-vous d'inculquer de bonnes habitudes à l'enfant, afin d'éviter plus tard des troubles du comportement alimentaire.

[4] Fixez-vous des objectifs raisonnables – il est normal que l'appétit de l'enfant varie d'un jour à l'autre. Un objectif raisonnable sur le moyen terme est que l'heure des repas soit un moment agréable, sans conflits. Un but à long terme est d'apprendre à l'enfant à manger des aliments variés.

[5] Ne laissez pas l'enfant grignoter. N'utilisez pas la nourriture pour le calmer, par exemple en lui proposant un en-cas quand il pleurniche ou qu'il est grognon. Le grignotage a une incidence sur les habitudes alimentaires de l'enfant et sur sa capacité à manger correctement lors des repas. Les enfants qui grignotent ont tendance à manger plus d'aliments dépourvus d'intérêt nutritionnel et à absorber davantage de calories que ceux qui mangent à heures fixes.

[6] Choisissez un endroit où vous prendrez tous vos repas. Une fois installé à cette place, l'enfant saura qu'il est l'heure de manger. En l'absence de démarche cohérente, l'enfant risque de confondre jeux et repas.

[7] Lorsque l'enfant a un certain âge, faites-le participer aux courses et à la préparation des plats : cela lui donnera une certaine maîtrise sur ce qu'il mange et l'impliquera dans les repas.

[8] Lorsque vous introduisez un nouvel aliment, ne baissez pas les bras à la première tentative, simplement parce que l'enfant proteste en faisant fonctionner son système audio. Certains enfants ont besoin d'être exposés 10 à 20 fois à un nouvel aliment pour s'habiter à sa couleur, à sa forme, à son odeur et à sa texture. Faites preuve de patience au cours du processus ; félicitez l'enfant quand il goûte un nouvel aliment, même s'il le recrache tout de suite après.

Formation à l'alimentation autonome

La liberté que donne un enfant qui sait manger tout seul, équipé d'une fourchette ou d'une cuillère, constitue un immense soulagement pour beaucoup d'utilisateurs. Vers deux ans, nombre d'unités sont opérationnelles dans le maniement de la cuillère, avec une efficacité atteignant 75 à 80 %. Il faut attendre 3 ou 4 ans après la première mise en service pour atteindre une maîtrise totale de l'opération. Commencez la formation de l'enfant avec une cuillère, puis utilisez la même procédure pour l'initiation au maniement de la fourchette. Voici la démarche à suivre.

⚠ ***ATTENTION :*** *préparez les aliments en portions et en bouchées, pour que l'enfant puisse se passer de couteau.*

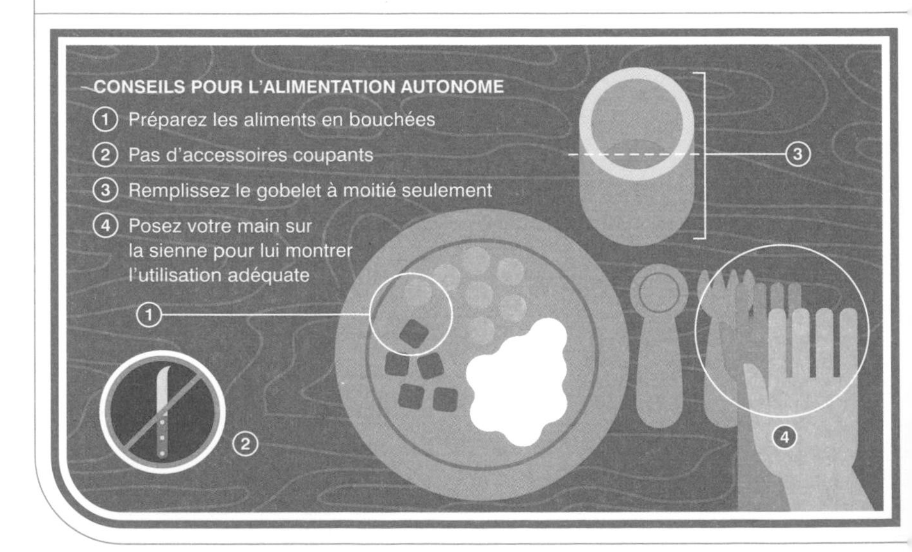

CONSEILS POUR L'ALIMENTATION AUTONOME
① Préparez les aliments en bouchées
② Pas d'accessoires coupants
③ Remplissez le gobelet à moitié seulement
④ Posez votre main sur la sienne pour lui montrer l'utilisation adéquate
①
②
③
④

[1] Lorsque l'enfant a 12 mois, achetez-lui plusieurs cuillères différentes. Laissez-le choisir le modèle qu'il préfère et l'utiliser lors des repas.

[2] Montrez-lui comment s'en servir et guidez-le en plaçant votre main sur la sienne, afin de l'initier à la technique de maniement et au savoir-vivre.

[3] Félicitez-le lorsqu'il insère efficacement de la nourriture dans la bouche à l'aide de cet accessoire.

CONSEIL D'EXPERT : *beaucoup d'enfants utiliseront alternativement leurs doigts et la cuillère jusqu'à ce qu'ils aient acquis une parfaite maîtrise dans le maniement de cet accessoire. Laissez à votre modèle la liberté d'explorer cet objet durant la phase de formation. Dans un premier temps, abstenez-vous de donner un feed-back négatif lorsque l'enfant explore le maniement du couvert.*

Passage de la tasse à bec au gobelet

La plupart des enfants manifestent l'envie de boire dans un gobelet (toujours en plastique !) vers 3 ou 4 ans.

[1] Enlevez le couvercle de la tasse à bec à laquelle l'enfant est habitué.

[2] Versez un peu de lait ou de jus de fruit dans la tasse. Ne la remplissez pas plus qu'à moitié, jusqu'à ce que l'enfant maîtrise le maniement de l'accessoire.

[3] Guidez l'enfant. Posez vos mains sur les siennes lorsqu'il prend le gobelet et montrez-lui comment porter doucement le récipient à ses lèvres et comment le reposer.

Paramétrage du comportement lors des repas

Les repas peuvent être un moment éprouvant pour les utilisateurs. Former un jeune enfant à une utilisation correcte des outils à sa disposition peut être aussi ardu que de garder un enfant plus âgé à table. En programmant les protocoles applicables à l'heure des repas, fixez-vous des objectifs et soyez cohérent dans le déroulement des repas et les limites fixées.

[1] Procédez au partage des responsabilités : les parents se chargent du choix et de l'achat des aliments, de la préparation des repas, du respect de l'heure des repas et des en-cas, de la limitation de certains aliments, du respect d'un bon comportement à table et des sanctions en cas de mauvais comportement. L'enfant, lui, décide de la quantité qu'il souhaite manger ou ne pas manger.

[2] Donnez l'exemple en servant de modèle, en adoptant de bonnes manières et en mangeant équilibré. Soufflez à l'enfant certaines compétences importantes (comme dire « s'il te plaît » ou « pardon »). L'apprentissage des bonnes manières à table est un processus de longue haleine – les bons comportements devront être répétés un certain nombre de fois avant que l'enfant ne les applique tout seul.

[3] Félicitez régulièrement l'enfant (« tu t'es tenue comme une grande à table aujourd'hui ») et prodiguez-lui de rapides marques d'affection (câlin, bisou, caresse) s'il a un bon comportement. Par contre, ne le récompensez pas avec des aliments, et surtout pas avec des sucreries ou des desserts : il risquerait d'associer ces produits à des sources de réconfort et d'amour, ce qui les rendrait encore plus attrayants.

[4] Ignorez les mauvais comportements à table, s'ils sont bénins (par exemple si l'enfant pleurniche, refuse un aliment ou fait une petite colère). Détournez-vous un instant (pendant 5 secondes), sans lui parler et sans le regarder. Ensuite, accordez-lui à nouveau de l'attention, lorsqu'il se comporte bien.

[5] En cas de grosses bêtises ou d'entorses aux règles fixées pour le repas (par exemple si l'enfant tape avec des accessoires, jette de la nourriture ou fait intentionnellement tomber une assiette), imposez-lui un bref temps mort (voir p. 161). À table, on peut pratiquer un temps mort en demandant à tous les adultes et aux frères et sœurs de se détourner du fauteur de trouble, en écartant la chaise de l'enfant de la table ou en détournant la chaise, de manière à ce qu'elle ne soit plus face à la table, pendant un court instant.

Si vous devez faire plus de 3 temps morts au cours d'un même repas, retirez toute la nourriture qui reste devant l'enfant et faites-lui quitter la table. En mettant fin prématurément au repas, vous évitez que ce moment de la journée tourne à l'affrontement et que la nourriture soit associée à des événements négatifs. Avoir un peu faim avant le prochain repas ou en-cas ne fera pas de mal à l'enfant et, qui sait, le motivera peut-être à mieux se tenir au prochain repas.

[6] Ne grondez pas un enfant qui ne veut pas manger. Par contre, demandez-lui de rester à table, pendant une durée raisonnable – environ 10 minutes.

Reprogrammer un modèle difficile qui mange mal

Certains enfants sont réfractaires à la diversification de leur alimentation en énergie. Appliquez la procédure suivante pour contrer leur stratégie.

[**1**] Proposez-lui de temps en temps son repas préféré et incluez à chaque repas au moins un aliment qu'il aime bien, mais ne cédez pas à ses requêtes de ne préparer que les plats dont il raffole. Vous ne feriez que renforcer son comportement difficile et risqueriez d'exclure de son alimentation des catégories entières de produits. S'il décrète « je déteste ceci ou cela », répondez-lui : « Eh bien, c'est ce que nous mangeons au dîner ce soir » et changez de sujet.

[**2**] Faites participer l'enfant aux courses et laissez-le vous aider (en toute sécurité !) dans la préparation des repas. Cuisiner ensemble, avec créativité, peut aider l'enfant à accepter de nouveaux produits. Coupez les aliments pour leur donner la forme préférée de l'enfant, ou laissez-le utiliser un emporte-pièce pour préparer un sandwich de la forme de son personnage ou de son animal préféré.

[**3**] Efforcez-vous de créer une ambiance positive à table et évitez les discussions sur ses habitudes alimentaires. Ne lui accordez pas plus d'attention que d'habitude s'il refuse de manger, s'il pleurniche, s'il gémit ou s'il fait une colère.

CONSEIL D'EXPERT : *beaucoup d'utilisateurs cuisinent un repas pour la famille et un autre pour l'enfant, en partant du principe que ce dernier ne mangerait pas ce qui est prévu pour le reste de la famille. Cette stratégie risque de rendre l'enfant difficile. En lui servant les mêmes plats que vous, vous lui permettrez de découvrir de nouveaux aliments et de développer des habitudes alimentaires plus saines.*

[**4**] Félicitez l'enfant pour chaque petit progrès dans la diversification de son alimentation. Manifestez votre enthousiasme lorsque l'enfant mange une petite portion d'un nouveau plat, au lieu de lui demander d'en prendre un peu plus.

[**5**] Fixez des horaires pour les repas et les en-cas, et mangez toujours au même endroit. Ne laissez pas l'enfant grignoter entre les repas et les en-cas. Il a besoin d'avoir faim pour apprécier un bon repas. Laissez passer environ 2 heures entre chaque repas ou en-cas. Une heure avant les repas, ne lui proposez plus que de l'eau à boire.

[**6**] Ne suppliez pas l'enfant, ne négociez pas et ne le menacez pas, ni pendant les repas, ni entre ceux-ci. Ne le forcez pas à manger.

[**7**] Si l'enfant a un caractère indépendant, donnez-lui le choix entre deux possibilités raisonnables et saines (« Tu veux une pomme ou un yaourt ? »)

CONSEIL D'EXPERT : *si l'enfant refuse certains groupes d'aliments, demandez conseil à son chargé de maintenance (ou « pédiatre ») qui déterminera s'il y a lieu de prescrire des vitamines.*

Reprogrammer un modèle qui ne mange rien

Si l'enfant affiche un niveau d'énergie standard et grandit normalement, il mange suffisamment. Si les repas tournent à l'affrontement et si l'enfant mange très peu, reportez-vous aux conseils ci-dessus, « Reprogrammer un modèle difficile qui mange mal » ainsi qu'aux suggestions ci-dessous.

[**1**] Terminez chaque repas sur une note positive, même si l'enfant n'a absolument rien mangé. N'insistez pas pour qu'il termine son biberon, vide son verre ou finisse son assiette. Par contre, attendez le repas suivant pour lui donner de nouveau à manger et ne le laissez pas manger quoi que ce soit une fois qu'il est sorti de table.

POINTS CLÉS DU PROTOCOLE
1 Durée des repas : 20 minutes
2 En cas de mauvais comportements imposez des pauses
3 Ne forcez pas l'enfant à manger et ne coupez pas les cheveux en quatre
4 Si l'enfant fait le difficile (ou refuse de manger), ne lui proposez pas de sucreries ni les aliments de son choix
2
enfant
bébé
junior

LE COMPORTEMENT À TABLE : des objectifs raisonnables

et le respecter les règles fixées pour le déroulement du repas et les interdits.

[2] Servez des petites portions pour que l'enfant puisse être fier d'avoir vidé son assiette.

CONSEIL D'EXPERT : *n'évaluez pas le nombre de calories consommées ou la qualité de son alimentation repas par repas. Si vous avez des inquiétudes, notez ce que l'enfant mange pendant toute une semaine et parlez-en avec son chargé de maintenance.*

[4] Félicitez régulièrement l'enfant s'il mange bien, s'il goûte de nouveaux aliments, s'il se sert bien de ses couverts, s'il reste sagement assis et s'il se tient bien à table.

[5] Imposez un rapide temps mort à l'enfant (voir p. 161) s'il pleurniche, s'il fait une colère ou s'il demande en permanence des choses à grignoter entre les repas.

CONSEIL D'EXPERT : *ne vous inquiétez pas si l'enfant n'accepte qu'un seul type d'aliment pendant toute une semaine, avant de le refuser catégoriquement la semaine suivante. Il est rare que ces phases – temporaires – perturbent la qualité de l'alimentation. En général, elles ne durent pas bien longtemps.*

Reprogrammer un modèle accro aux sucreries

Les enfants sont préprogrammés pour adorer les sucreries. Il revient donc aux utilisateurs de fixer des limites et d'apprendre aux enfants à avoir une alimentation équilibrée. Voici quelques suggestions pour empêcher votre modèle de manger trop sucré.

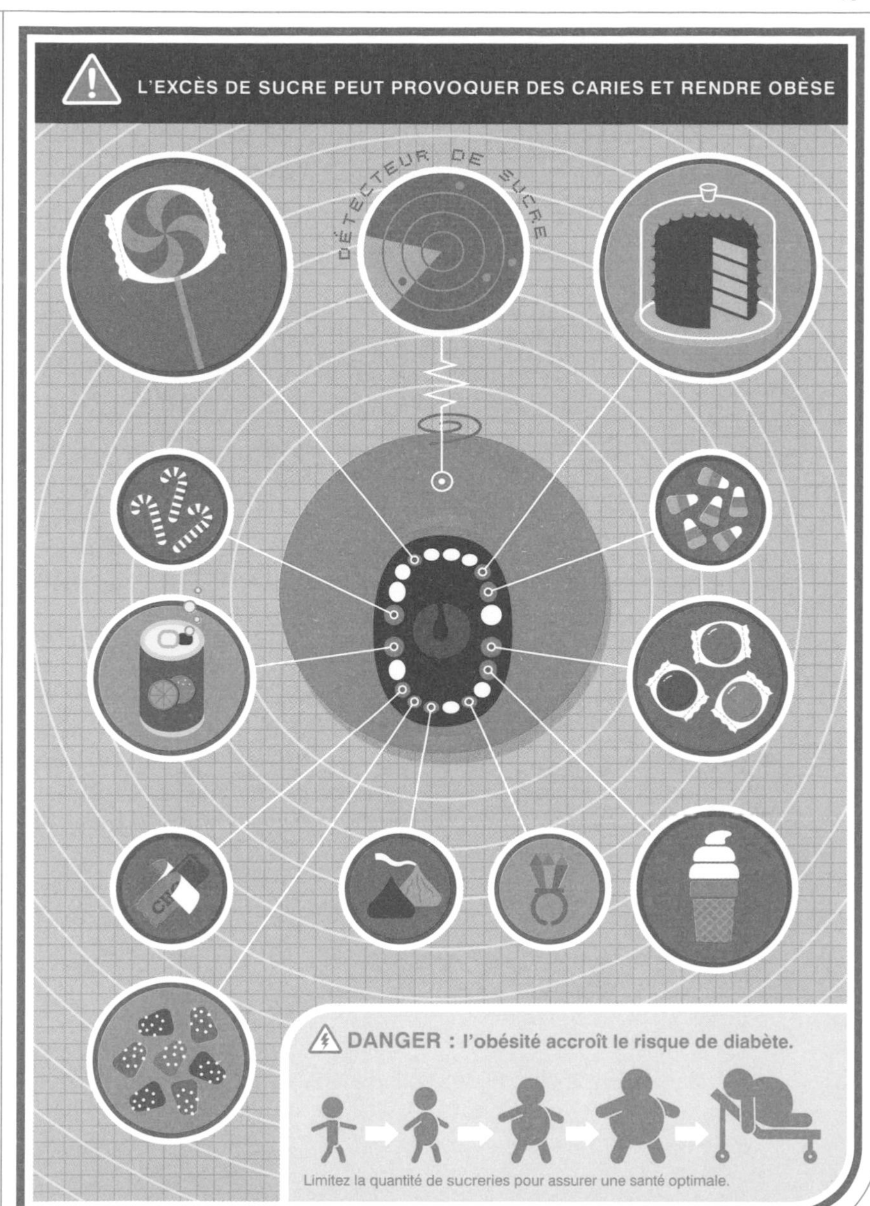
L'EXCÈS DE SUCRE PEUT PROVOQUER DES CARIES ET RENDRE OBÈSE
DÉTECTEUR DE SUCRE
CHOC
DANGER : l'obésité accroît le risque de diabète.
Limitez la quantité de sucreries pour assurer une santé optimale.

CONSEIL D'EXPERT : *Beaucoup d'idées fausses circulent sur les effets néfastes du sucre. Non, le sucre ne rend pas hyperactif et ne rend pas directement diabétique (en revanche, le risque de diabète est accru chez les individus en surpoids). Le seul effet néfaste démontré du sucre est l'accroissement du risque de caries dentaires.*

[**1**] Limitez le nombre et la quantité de sucreries que vous avez chez vous. En revanche, ne bannissez pas totalement le sucre de l'alimentation de votre enfant : cela risquerait de renforcer ses fringales de sucre.

[**2**] Lorsque vous faites vos courses, achetez des aliments sains. Une bonne règle consiste à n'avoir qu'un seul parfum de glace dans le congélateur et un ou deux types de biscuits.

[**3**] Remplacez progressivement les aliments très riches en sucre par d'autres produits plus sains, comme des fruits frais ou secs, du yaourt et des biscuits à la farine complète ou aux flocons d'avoine.

CONSEIL D'EXPERT : *pour éviter l'affrontement au moment du dessert, placez un seul dessert à côté des autres éléments du repas. Ainsi, le dessert ne sera pas assimilé à une « récompense ». Même si l'enfant commence par le dessert, il finira par apprendre à manger les autres plats pour ne pas avoir faim avant l'en-cas suivant, prévu à heure fixe.*

[**4**] Ne mettez pas de boissons sucrées dans le biberon de l'enfant.

[**5**] Proposez-lui un vaste choix d'aliments sains, et limitez les sucreries à certains moments ou à certaines occasions. Ne donnez pas d'aliments très riches en sucre (comme des confiseries) en en-cas.

[6] N'utilisez pas des aliments riches en sucre comme élément de chantage, récompense ou offrande pour faire taire l'enfant : il finirait par associer amour et réconfort à ces aliments, qui lui feront encore plus envie.

[7] Imposez un bref temps mort à l'enfant (voir p. 161) s'il pleurniche, fait des colères ou s'il réclame en permanence des bonbons ou des sucreries.

Bugs alimentaires

Consultez le chargé de maintenance (ou « pédiatre ») de l'enfant si vous constatez l'un des dysfonctionnements alimentaires suivants :

- L'enfant perd du poids ou n'a pas pris de poids au cours d'une période de six mois.
- L'enfant a des haut-le-cœur, il s'étouffe, il vomit ou il a des difficultés à mâcher ou à avaler les aliments.
- L'enfant a souvent des affections des voies respiratoires supérieures.
- L'enfant a de la fièvre, il vomit, il a du mal à respirer, il a de l'urticaire ou il a la diarrhée après avoir mangé certains aliments spécifiques.
- L'enfant semble avoir des douleurs ou être mal à l'aise pendant les repas ou après.
- L'enfant ne mange qu'un nombre très réduit d'aliments pendant une période prolongée ou il refuse tout aliment solide.
- Lors des repas, l'enfant manifeste de la peur ou de la colère, ou bien il pleure régulièrement.

6:32
M
H
Zzz
CHARGE

[Chapitre 4]

Programmation du mode sommeil

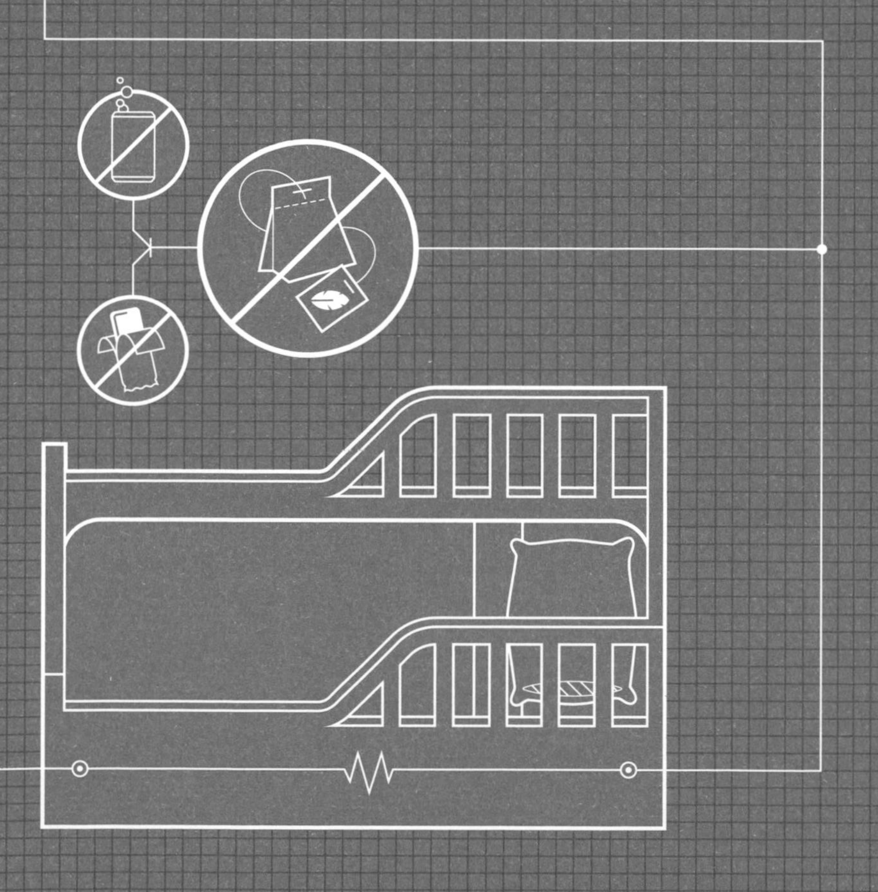

Configuration de l'espace où dort l'enfant

L'enfant doit prendre l'habitude de s'endormir là où il va passer toute la nuit. L'endroit idéal pour dormir présente les caractéristiques suivantes :

- ***Calme***. Un bruit blanc, comme celui d'un ventilateur, permet de couvrir des bruits susceptibles d'activer l'enfant pendant qu'il est en mode sommeil.
- ***Sombre.*** Vous pouvez allumer une petite veilleuse. En revanche, une lumière trop forte risque de retarder le passage en mode sommeil.
- ***Température agréable.*** On dort mieux dans un environnement relativement frais (19 °C).
- ***Rassurant.*** Toute menace de danger aura une incidence négative sur le sommeil.

Transfert du lit à barreaux vers le grand lit

Le transfert du lit à barreaux vers le « lit de grand » (voir p. 18) s'effectue généralement lorsque l'enfant arrive à sortir de son lit seul. Pour la plupart des modèles, l'opération s'effectue entre 18 et 36 mois après la livraison.

Pour la réussir, choisissez une période sans stress. Transférez les objets transitionnels préférés (voir p. 84) du modèle dans son nouveau lit. Installez une barrière de lit pour empêcher toute chute ou posez une couverture épaisse sur le sol pour rendre la zone de réception moins dure, jusqu'à ce que l'enfant ait intégré le périmètre de son nouvel espace.

Option n° 1 : remplacez le lit à barreaux par le nouveau lit (installé au même emplacement). Le premier soir, retardez légèrement l'heure du coucher pour que l'enfant soit plus fatigué, puis appliquez la méthode du « excuse-moi mais... », pour favoriser l'auto-activation du mode sommeil (voir p. 86).

Option n° 2 : installez le nouveau lit dans la chambre, tout en laissant le lit à barreaux à sa place. Laissez l'enfant s'habituer à ce nouvel environnement et permettez-lui de s'allonger sur le lit, pendant la journée. Utilisez cet endroit pour des activités calmes, comme la lecture, ou pour y raconter une histoire avant d'aller dormir. Plus tard, vous pourrez lui proposer de faire sa sieste dans le nouveau lit (ou même d'y passer la nuit s'il est demandeur). Certains enfants alternent entre les deux lits pendant un temps, mais la plupart s'habituent rapidement au nouveau lit. Une fois que l'enfant dort tout le temps dans le grand lit, démontez le lit à barreaux.

Partager votre lit avec l'enfant

Diverses études ont démontré que sur le long terme, le partage du lit avec l'enfant et l'organisation du sommeil en solitaire se valaient. Le partage du lit, ou co-dodo, ne provoque pas de problèmes s'il est pratiqué de manière régulière (et non ponctuellement, en réaction à un problème de sommeil), toute la nuit (et non une partie de la nuit) et si les parents en ont discuté ensemble et décidé d'un commun accord de partager leur lit avec l'enfant comme choix de mode de vie (et non dans le contexte d'un désaccord conduisant à des réactions incohérentes). Passez en revue les avantages et les inconvénients énumérés ci-dessous, et faite le choix qui convient le mieux à votre enfant et à votre famille.

Avantages potentiels

- Le partage du lit a été pratiqué durant presque toutes les périodes de l'Histoire et il reste la pratique la plus courante dans la plupart des sociétés.
- Il empêche les affrontements à l'heure du coucher et évite que l'enfant reste longtemps réveillé la nuit.

- Il facilite l'allaitement et permet à l'utilisatrice de mieux dormir.
- De l'avis de certains spécialistes, cette pratique renforce les liens entre l'enfant et ses parents, et favorise le développement émotionnel de l'enfant.

Inconvénients potentiels

- Cette pratique nuit à la spontanéité des relations sexuelles entre les parents et peut avoir un impact négatif sur le couple.
- L'enfant qui dort avec ses parents est davantage tributaire de leur présence pour s'endormir.
- Les enfants sont des dormeurs actifs, qui bougent dans leur sommeil. Leurs mouvements fréquents risquent de tirer brièvement les parents de leur sommeil, à de nombreuses reprises au cours d'une nuit.
- Certains spécialistes estiment que le co-dodo nuit au développement de l'autonomie et de l'indépendance chez l'enfant.
- L'enfant habitué à dormir avec ses parents peut avoir du mal à changer de mode de fonctionnement.

⚠ ***ATTENTION :*** *ne pratiquez pas le co-dodo sur un canapé et ne laissez jamais un enfant dormir avec un adulte en état d'ivresse.*

Les mises à jour du mode « sommeil »

À mesure que l'enfant grandit, la durée totale du sommeil par période de 24 heures diminue, essentiellement en raison de la réduction des siestes entre 1 an et 5 ans.

La capacité à s'endormir, les horaires et la durée du sommeil peuvent différer légèrement d'un modèle à l'autre, et n'affectent pas le bon fonc-

tionnement général. Ces légères variations ne doivent pas vous inquiéter : il ne s'agit pas de défauts de fabrication.

La programmation des horaires de sommeil dépend de paramétrages internes, mais aussi des activités de l'utilisateur et de ses préférences. Par conséquent, ces horaires peuvent être reprogrammés et modifiés. Pour obtenir un fonctionnement optimal pendant la journée, votre unité doit disposer de suffisamment de sommeil. Si votre enfant présente les signes suivants, il est possible qu'il ne dorme pas assez

- Il s'endort rapidement dès qu'il est dans son siège auto.
- Il dort 30 minutes de plus que d'habitude si vous ne le réveillez pas.
- Il est grincheux ou irritable ou il fait des colères fréquentes.
- Il devient très actif et déconcentré à certains moments de la journée.
- Il présente une « défaillance-système » et s'écroule très tôt le soir, s'il n'a pas suffisamment dormi plusieurs jours d'affilée.
- Il dort une heure de moins que la norme pour son âge (voir tableau).

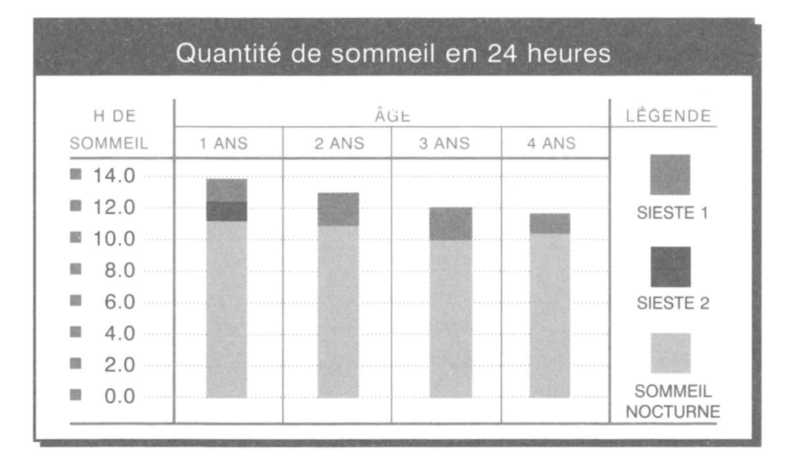

Les siestes

La sieste est un passage en mode sommeil pendant la journée. Les siestes se déroulent en fin de matinée ou l'après-midi. Les enfants qui en font sont plus vifs, attentifs et flexibles que les autres. Chez la plupart des modèles, la durée des siestes raccourcit au fil des mises à jour successives.

De 12 à 20 mois

La plupart des unités sont préprogrammées pour sauter la sieste du matin et allonger légèrement la durée de celle de l'après-midi autour de 16 à 20 mois après la première mise en service. L'enfant sait désormais sortir de son lit : il est donc important que la sieste se déroule selon certaines règles. De plus, l'imagination fertile de l'enfant et des angoisses de séparation peuvent susciter des peurs liées au sommeil, qui viennent perturber le bon déroulement des siestes.

De 21 à 30 mois

21 mois après la livraison, 88 % des modèles ne font plus qu'une sieste par jour. L'indépendance croissante et la quête d'autonomie de l'enfant peuvent provoquer des résistances. Toutefois, ne réagissez pas en supprimant la sieste. L'enfant risquerait d'être très fatigué, et donc irritable, voire même agressif en fin de journée.

De 3 à 4 ans

La grande majorité des modèles continuent à faire la sieste à 3 ans. Toutefois, au cours de la quatrième année, les siestes deviennent moins régulières. Certains modèles ne passent plus systématiquement en mode sommeil durant l'heure prévue pour la sieste, en début d'après-midi. Toutefois, imposez un temps de repos : éteignez la télévision, débranchez le téléphone et baissez la lumière. S'il est vraiment fatigué, l'enfant s'endormira. Dans ce cas, l'heure du coucher devra varier légèrement.

Reprogrammer pour permettre l'auto-activation

En programmant les compétences une par une, vous aiderez l'enfant à passer tout seul en mode sommeil en limitant son désarroi pendant la période de reprogrammation. Commencez la mise en œuvre à un moment où l'enfant est en bonne santé et où il ne présente pas de signes de malaise. Voici quelques conseils généraux pour la phase de reprogrammation :

[**1**] Habituez l'enfant à s'endormir là où vous souhaitez qu'il passe toute la nuit. S'il avait l'habitude de s'assoupir dans votre lit, à côté de vous, insistez pour qu'il s'endorme dans son lit. Vous resterez allongé à ses côtés, jusqu'à ce qu'il soit à l'aise dans son nouvel environnement.

CONSEIL D'EXPERT : *l'enfant ne doit pas associer son lit à une punition ni à la douleur. Ne l'envoyez pas au lit pour faire des temps morts. De la même manière, si vous devez pratiquer des soins médicaux douloureux, faites-le ailleurs que dans le lit.*

[**2**] Modifiez progressivement son environnement pour le rendre compatible avec le sommeil. Une démarche progressive permet une transition en douceur, pendant la phase de mise à jour du programme de sommeil. Par exemple :

- Si l'enfant n'aime pas l'obscurité, diminuez progressivement l'éclairage de la pièce, sur plusieurs jours, en remplaçant une ampoule de 60 W par une de 40 W, puis de 20 W et enfin de 7 W.
- Si l'enfant a pris l'habitude de s'endormir en regardant la télévision, commencez par baisser de plus en plus le volume. Ensuite, changez de chaîne et choisissez un programme qui ne l'intéresse pas. Enfin, éteignez la télévision.

[3] Instaurez un rituel pour l'heure du coucher. Par exemple, l'enfant se brosse les dents, se met en pyjama et passe aux toilettes. Terminez par une activité apaisante (lire une histoire, faire un câlin ou un massage) dans la chambre de l'enfant. Dans ce rituel, vous pouvez aussi inclure :

- Ses objets transitionnels. La poupée préférée de l'enfant, un doudou ou une peluche peuvent favoriser un sommeil paisible. En revanche, n'autorisez pas d'autres jouets dans le lit.
- Des en-cas légers et des boissons. Toutefois, les biberons au lit, l'excès de boisson et les repas lourds et tardifs peuvent perturber le sommeil. Évitez les boissons ou les aliments contenant des substances stimulantes (sodas caféinés, thé, chocolat) plusieurs heures avant le coucher.

[4] Installez le programme d'auto-activation du mode sommeil (voir p. 85). Les réveils en pleine nuit sont préprogrammés dans le cycle de l'enfant. Les modèles programmés pour un passage indépendant en mode sommeil se rendormiront seuls, mais ceux programmés pour s'endormir dans les bras de l'utilisateur, en se faisant bercer, en écoutant des chansons ou en mangeant se réveilleront complètement et feront fonctionner leur système audio pour appeler un utilisateur, qui les fera repasser en mode sommeil.

[5] Faites respecter des horaires de sommeil rigoureux jusqu'à ce que la reprogrammation soit achevée et que l'enfant dorme bien pendant deux semaines. Vous pourrez ensuite introduire une certaine souplesse. Toutefois, mieux vous réussirez à faire fonctionner le modèle selon des horaires prévisibles, mieux il parviendra à s'endormir à l'heure souhaitée.

[6] Félicitez l'enfant en cas de progrès, même infimes. Pour cela, vous pouvez utiliser un tableau comportant les jours de la semaine sur lequel vous collerez des autocollants pour chaque réussite.

[7] Si l'enfant oppose une résistance farouche à chaque étape du processus et si vous ne constatez aucun progrès, aidez-le à reprogrammer son fonctionnement pendant la journée. Si l'enfant manifeste une forte opposition à l'heure du coucher, apprenez-lui à se conformer à des consignes et à accepter les conséquences de son mauvais comportement pendant la journée (voir p. 176). S'il a des angoisses de séparation pendant la nuit, apprenez-lui à jouer de manière indépendante (voir p. 142) et à gérer les séparations pendant la journée (voir p. 138).

Installation du programme « auto-activation du mode sommeil »

Plusieurs méthodes permettent d'apprendre à l'enfant à s'endormir tout seul, sans que vous soyez à ses côtés. Si vous faites preuve de constance en encourageant le passage en mode sommeil indépendant et l'exécution des programmes d'auto-apaisement, l'enfant apprendra probablement rapidement à activer lui-même le mode sommeil. Utilisez la méthode suivante pour le coucher du soir, puis pour les réveils la nuit, et enfin pour les siestes.

***CONSEIL D'EXPERT**: si l'enfant partage sa chambre avec un frère ou une sœur, il est possible que ce dernier soit contraint temporairement d'aller dormir ailleurs, jusqu'à ce que l'enfant soit reprogrammé.*

Ignorer l'enfant avec présence du parent

Avec cette méthode, l'enfant sera moins désemparé que si vous quittez tout simplement sa chambre en le laissant pleurer. Toutefois, il est possible que vous ayez à exécuter cette procédure plusieurs fois par nuit jusqu'à ce que l'enfant sache s'endormir sans vous.

[**1**] Allongez-vous sur un matelas ou une natte, mais faites semblant de dormir, sans avoir d'interactions avec l'enfant. L'objectif est qu'il ne dépende plus de vos gestes et de vos paroles pour s'endormir.

[**2**] Ignorez ses pleurs, ses protestations et ses demandes, et attendez qu'il s'endorme. Une fois qu'il est passé en mode sommeil, quittez la pièce sur la pointe des pieds.

La chaise itinérante

[**1**] Asseyez-vous sur une chaise et lisez un livre, jusqu'à ce que l'enfant s'endorme.

[**2**] Chaque soir, installez la chaise un peu plus loin de son lit. L'enfant protestera peut-être lorsque vous ne serez plus dans son champ de vision. Continuez l'exécution du programme : l'enfant s'adaptera.

La méthode du « excuse-moi mais... » Oui !

[**1**] Le premier soir, retardez l'heure du coucher de 15 à 30 minutes.

[**2**] Asseyez-vous sur le lit de l'enfant, à côté de lui, en lui caressant la tête et le dos. Dites-lui « Excuse-moi, mais il faut que j'aille faire sortir le chien (ou trouvez une autre excuse réaliste). Je reviens tout de suite.

[**3**] Quittez la pièce et revenez quelques secondes plus tard, en félicitant l'enfant d'être resté sagement dans son lit.

[**4**] Continuez à quitter sa chambre et à revenir pour lui prodiguer de l'attention, de la présence, un contact physique calme et des félicitations s'il reste paisiblement et silencieusement dans son lit.

[**5**] Espacez progressivement vos visites. Au début, elles ne sont séparées que de quelques secondes ; à terme, elles s'effectuent toutes les 15 minutes. Veillez à quitter la chambre pendant que l'enfant est réveillé pour qu'il apprenne à s'endormir sans votre présence. Si l'enfant crie ou proteste, ne retournez pas dans sa chambre tant qu'il n'est pas allongé dans son lit, calme et silencieux.

[**6**] Une fois que l'enfant arrive à s'endormir rapidement (en 15 à 20 minutes) et tout seul, avancez progressivement l'heure du coucher au cours des jours qui viennent, pour revenir aux horaires habituels.

Ignorer l'enfant sans retourner le voir

Cette méthode de reprogrammation porte ses fruits rapidement – la plupart des modèles sont opérationnels au bout de la troisième nuit, surtout si vous retardez temporairement l'heure du coucher pour être sûr que l'enfant est bien fatigué. Toutefois, cette méthode peut être source de stress pour les utilisateurs en raison des signaux sonores que l'enfant émet pour manifester sa désapprobation.

[**1**] Couchez l'enfant, faites-lui un dernier câlin et un ultime bisou, éteignez la lumière et quittez la chambre.

[**2**] Ignorez les cris ou les pleurs de l'enfant. Ne retournez pas le voir, sauf en cas de nécessité absolue (si vous pensez qu'il est malade ou en danger).

CONSEIL D'EXPERT : *il est totalement faux de croire que le fait de laisser pleurer un enfant risque de l'endommager. De nombreuses études n'ont détecté aucun dommage sur les enfants qu'on a laissés pleurer pour s'endormir. En réalité, ces études n'ont démontré que des effets positifs sur le sommeil de l'enfant, sur son humeur, sur sa flexibilité et sur le fonctionnement de la famille.*

Suppression des sorties intempestives de la chambre

[1] Allez de temps en temps voir l'enfant dans sa chambre, quand il est allongé calmement dans son lit, pour le féliciter de son bon comportement.

[2] Si l'enfant quitte sa chambre, raccompagnez-le immédiatement dans son lit, dans le calme et en silence. Ne criez pas et ne lui donnez pas de fessée : cela le réveillerait complètement et l'empêcherait de se rendormir. Répétez l'opération aussi souvent que nécessaire, ou jusqu'à ce que votre état d'énervement impose le passage à l'étape suivante.

CONSEIL D'EXPERT : *pour un enfant plus âgé, la reprogrammation sera parfois plus facile si vous lui laissez une certaine marge de manœuvre. Donnez-lui un ticket quelconque ou une carte bancaire périmée, qui serviront de « laissez-passer » donnant le droit de quitter une fois brièvement la chambre. En sortant, il devra vous le remettre.*

[3] Certains modèles récalcitrants nécessitent l'installation d'une barrière qui les empêchera de quitter leur chambre la nuit jusqu'à ce que la reprogrammation soit achevée. En cas de mauvais comportement, fermez la porte ou la barrière. Dès que l'enfant est calmé et décidé à rester dans sa chambre, rouvrez. *Ne laissez jamais la porte d'une chambre fermée à clé toute la nuit.*

Reprogrammation du mode sommeil en voyage

La période des vacances pose parfois problème : des changements surviennent dans le lieu où dort l'enfant, l'organisation est modifiée ou les horaires sont bouleversés.

Les programmes de certains modèles s'adaptent facilement. Ces enfants-là poseront peu de problèmes en voyage. Autorisez-vous une certaine flexibilité et réagissez aux signaux émis par l'enfant indiquant qu'il est fatigué, plutôt que de vous tenir à des horaires stricts. D'autres modèles ne s'adaptent pas aussi facilement aux changements d'environnement. Dans ce cas, l'utilisateur doit définir des horaires et les faire respecter, pour obtenir les meilleurs résultats possibles.

[1] Faites en sorte de vous retrouvez dans un lieu de séjour permettant d'organiser le sommeil selon les mêmes règles qu'à la maison. Si nécessaire, utilisez des couvertures et des meubles pour séparer l'endroit où dort l'enfant des espaces de vie.

[2] Si vous prévoyez des changements susceptibles de bouleverser ses habitudes, préparez-le avant le voyage. Par exemple, faites dormir l'enfant avec son frère ou sa sœur dans un même lit si c'est ce qui est prévu pour les vacances. Ou bien faites-lui faire quelques siestes dans le lit pliant qu'il retrouvera par la suite.

[3] Emportez les objets et autres accessoires (oreiller, couverture, peluche, tétine, ventilateur ou autre appareil produisant un bruit blanc) avec lesquels il a l'habitude de dormir.

[4] Conformez-vous le plus possible aux horaires habituels de l'enfant éviter qu'il soit épuisé, grincheux et qu'il ait encore plus de mal à s'endormir.

***CONSEIL D'EXPERT**: les antihistaminiques ont un effet sédatif. Ils peuvent être administrés en dernier recours pour activer le mode sommeil en vacances. Toutefois, chez certains modèles, ces substances produisent l'effet inverse, rendant l'enfant encore plus agité.*

[5] Faites preuve de souplesse (temporairement) dans l'application des règles habituelles pour le coucher.

[6] Reprenez immédiatement les anciennes habitudes et les horaires habituels en revenant à la maison. Ne conservez aucun élément du mode de fonctionnement utilisé pendant les vacances, pas même pour une seule nuit. L'enfant serait perdu et mettrait plus longtemps à reprendre ses anciennes habitudes.

Bugs du sommeil

Bien que la partie la plus difficile de l'installation de la version avancée du mode sommeil porte sur l'activation et le maintien, certains modèles présentent des bugs occasionnels. Ces dysfonctionnements peuvent se produire brusquement alors que l'enfant, provoquant l'inquiétude des utilisateurs. Les conseils de dépannage qui suivent permettent d'établir un diagnostic de panne et de supprimer ces bugs nocturnes.

Cauchemars

Un enfant qui fait souvent des cauchemars n'a pas nécessairement de problèmes émotionnels. Des expériences stressantes et des périodes d'adaptation, comme l'entrée à l'école, le démarrage de la gestion autonome des déchets ou la livraison d'une autre unité peuvent provoquer des cauchemars, ainsi que des peurs ou des angoisses. Parmi les autres éléments déclencheurs, citons la maladie, la fièvre ainsi que la prise ou l'interruption de certains médicaments.

Si l'enfant fait un cauchemar de temps en temps, il aura simplement besoin d'être réconforté et rassuré. S'il en fait régulièrement, les conseils de dépannage suivants pourront être utiles.

[1] Veillez à ce que l'enfant dorme suffisamment et respectez des horaires de sommeil réguliers.

[2] Réconfortez physiquement l'enfant lorsqu'il se réveille. Rassurez-le, expliquez-lui qu'il a fait un mauvais rêve. Écoutez l'enfant s'il essaie de vous expliquer son rêve. Montrez-vous calme, mais évitez de lui accorder une attention excessive et les longues discussions nocturnes.

[3] Faites bien la différence entre les rêves et la réalité, en mettant en évidence les aspects étranges ou irréalistes du rêve. N'en faites pas un jeu, en faisant semblant de combattre des monstres imaginaires ou en instaurant des rituels anti-monstres.

[4] Une fois que l'enfant s'est calmé, remettez-le au lit. Si vous l'installez dans votre lit, il se rendormira peut-être rapidement, mais cette pratique risque de l'inciter à prétendre qu'il a fait un cauchemar pour obtenir toute votre attention, alors qu'il s'est simplement réveillé en pleine nuit.

[5] Identifiez les expériences qui peuvent être difficiles à gérer pour l'enfant et éliminez-les. Mettez en place un déroulement type de la journée, pour que l'enfant sache à quel moment anticiper une séparation et à quel moment vous viendrez le chercher. Supprimez les émissions télévisées qui peuvent faire peur. Ne laissez pas l'enfant assister à des discussions concernant des problèmes familiaux.

[6] Permettez à l'enfant d'affronter et de maîtriser ses peurs. Identifiez le thème récurrent dans ses cauchemars ou ce qui lui fait peur. Par exemple : une solution pour faire disparaître les cauchemars liés à des séparations consiste à organiser des séparations brèves et prévisibles avec un parent.

ÉLÉMENTS DÉCLENCHEURS ÉVENTUELS :
1 Entrée en maternelle
2 Gestion autonome des déchets
3 Adaptation à la livraison d'une autre unité
4 Prise ou suppression de certains médicaments
5 Fièvre ou maladie

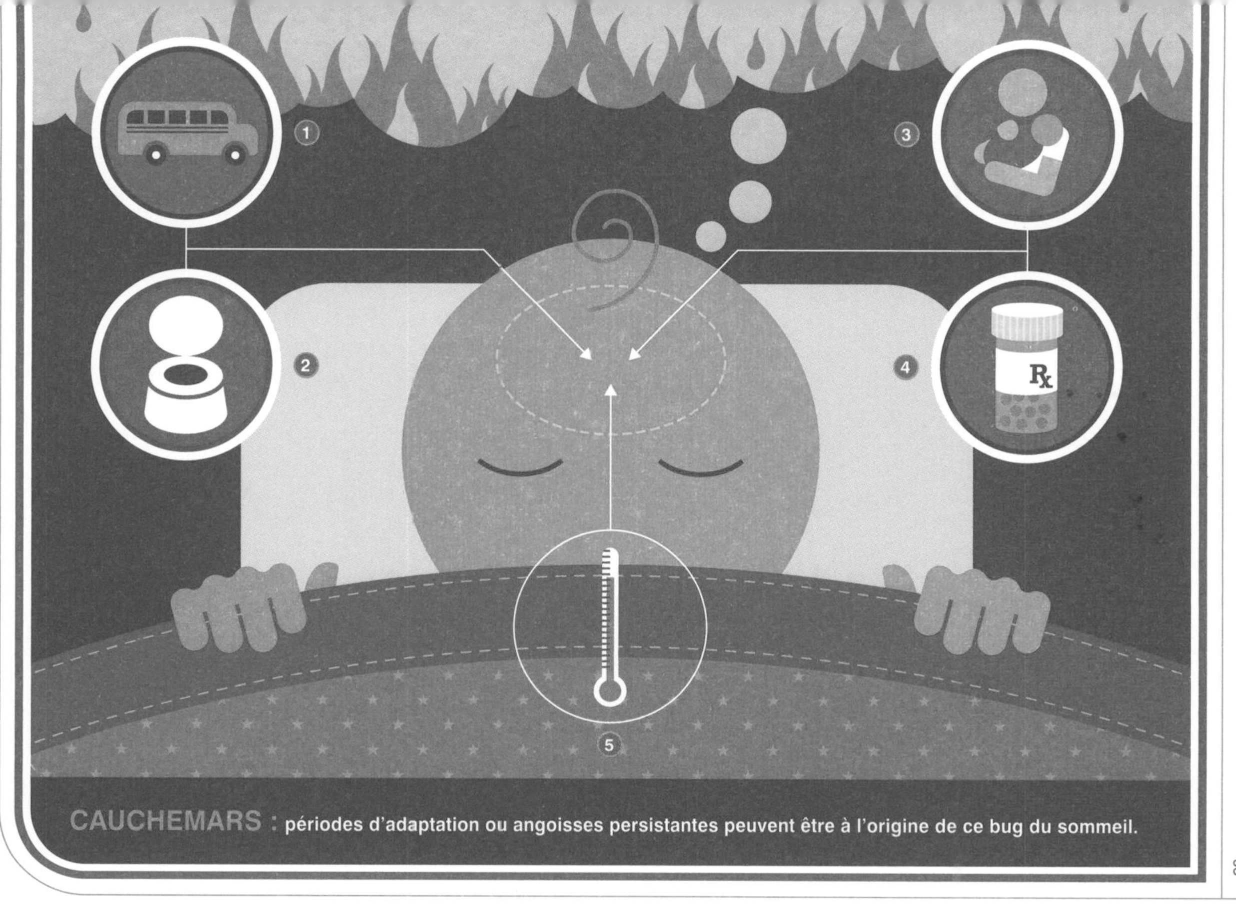

CAUCHEMARS : périodes d'adaptation ou angoisses persistantes peuvent être à l'origine de ce bug du sommeil.

Terreurs nocturnes

Les terreurs nocturnes se manifestent souvent par un cri. L'enfant a l'air effrayé, agité et désorienté. Il se peut qu'il ne réagisse pas à vos paroles, qu'il rejette vos tentatives de le calmer ou encore qu'il vous regarde sans vous voir. Ces épisodes surviennent en cas de « plantage » du programme de sommeil, à la charnière des cycles du sommeil profond et de l'éveil. Ces dysfonctionnements peuvent se produire au même moment chaque nuit et ont plus de chances de survenir chez les enfants très fatigués de s'être couchés trop tard, réveillés tôt ou d'avoir sauté la sieste. La maladie, la fièvre, certains médicaments ou un environnement de sommeil bruyant peuvent également les déclencher.

[**1**] Prolongez la durée du sommeil de l'enfant : instaurez des horaires réguliers, réglez le problème si l'enfant s'efforce de retarder l'heure du coucher ou le rendormissement en pleine nuit, ou faites-lui à nouveau faire la sieste.

[**2**] Évitez de réveiller l'enfant ou de l'empêcher de bouger pendant une terreur nocturne, ce qui risquerait d'accroître le problème. Aidez-le plutôt à se rendormir, en douceur.

[**3**] Essayez de réveiller doucement l'enfant, 15 à 30 minutes avant le moment où surviennent habituellement les terreurs nocturnes, en posant votre main sur son dos et en le secouant doucement, jusqu'à ce qu'il ouvre les yeux ou qu'il grogne. Puis laissez-le se rendormir. Si l'enfant réagit facilement, réveillez-le 15 minutes plus tard, la nuit suivante. Si le réveil déclenche un bug, réveillez-le 15 minutes plus tôt la nuit suivante.

[**4**] Pratiquez ce réveil programmé toutes les nuits, jusqu'à ce que l'enfant ait passé sept nuits consécutives sans dysfonctionnement du mode

sommeil. Ensuite, supprimez un réveil nocturne chaque semaine, jusqu'à ce que ces réveils ne soient plus nécessaires. Si des bugs se reproduisent, réintroduisez un réveil nocturne supplémentaire dans ce rythme. Poursuivez jusqu'à ce que le programme éveil-sommeil de l'enfant tourne sans problème.

Jeux nocturnes

La plupart des modèles programmés pour une auto-activation du mode sommeil (voir p. 85) se rendorment rapidement lorsqu'ils se réveillent en pleine nuit. Toutefois, certains se réveillent au beau milieu de la nuit et semblent contents, frais et dispos, et prêts à jouer. Si cela se produit avec votre enfant, voici quelques conseils utiles.

[1] Souvent, l'enfant se réveille parce qu'il a suffisamment dormi à d'autres moments de la journée. Réduisez le temps passé au lit pour mieux répondre à ses besoins. Commencez par photocopier et compléter le tableau figurant en annexe (voir p. 216) et additionnez le nombre d'heures de sommeil de l'enfant par 24 h, avec les siestes. Partez de ce nombre (par exemple 12 heures) pour définir le temps passé au lit (par exemple 9 heures la nuit et 3 heures pendant la journée). Ne le laissez pas dormir en dehors des heures prévues, même après des réveils prolongés pendant la nuit. Dans un premier temps, il se peut que cette méthode rende l'enfant fatigué et irritable, mais au bout de la troisième ou quatrième nuit, il aura nettement moins envie de jouer en nocturne.

[2] Supprimez l'accès de l'enfant à des activités agréables ou stimulantes pendant la nuit. Maintenez la télévision éteinte, les lumières tamisées et vos interactions neutres et ennuyeuses, de manière à ce que l'enfant ne pense pas que c'est l'heure de jouer.

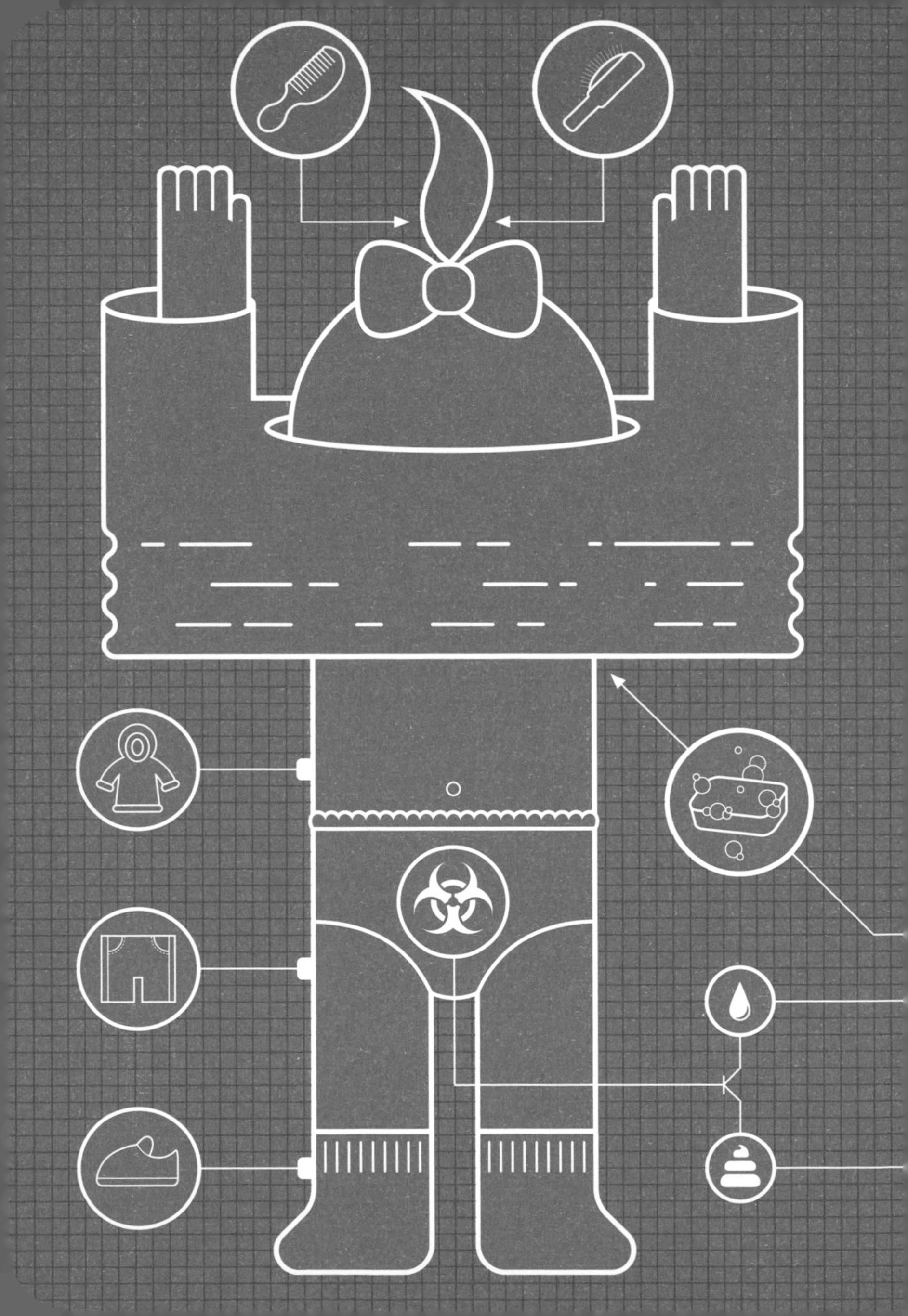

[Chapitre 5]

Maintenance générale et fonctions avancées

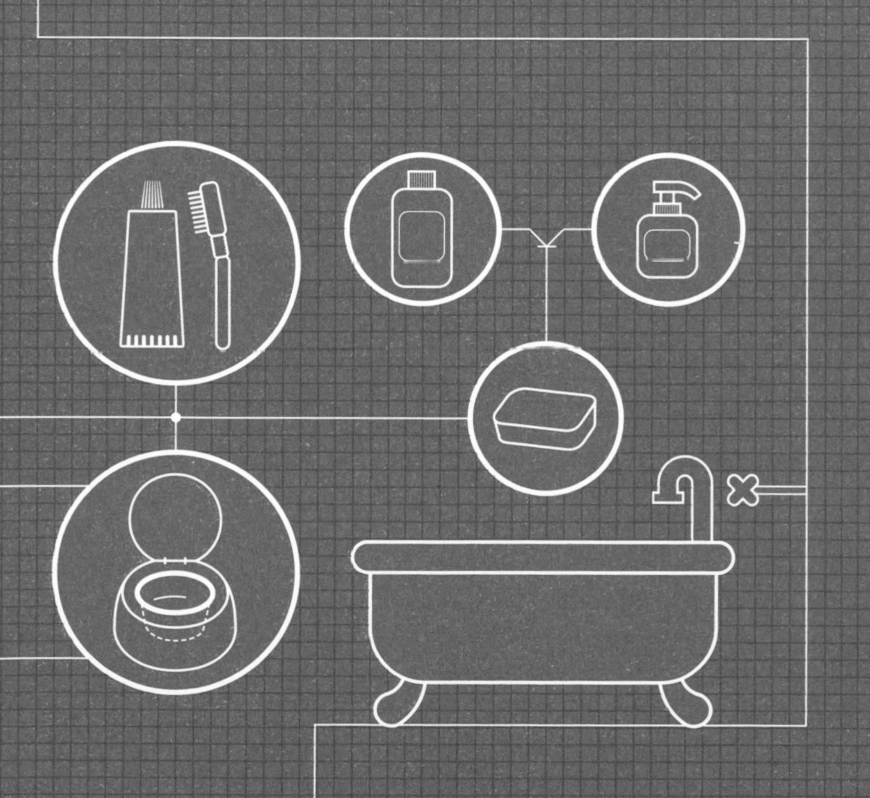

Gestion des déchets

Tant que l'enfant n'est pas opérationnel en mode gestion autonome des déchets (voir p. 99) et pendant la phase d'apprentissage, il vous faudra continuer à le changer.

Adaptez les fournitures aux besoins de l'enfant – couches plus grandes, culottes d'apprentissage, sous-vêtements de rechange, etc. Les nouvelles capacités cognitives de l'enfant exigeront peut-être aussi l'ajout de jouets plus complexes ou de petits livres cartonnés qui permettront de l'occuper pendant la désinstallation et la réinstallation des couches ou des vêtements.

Mise à jour de la procédure de changement de couches

La mobilité accrue de l'enfant exige un renouvellement de la procédure. Si vous constatez que votre modèle n'aime pas être allongé pour cette opération, essayez la position verticale. Pour cela, il faut que l'enfant puisse tenir en équilibre sur une jambe (en se tenant à un support).

[**1**] Installez vos fournitures à portée de main du poste de change.

[**2**] Agenouillez-vous devant l'enfant, qui est face à vous.

[**3**] Demandez à l'enfant de baisser sa culotte ou son slip, ou faites-le pour lui. Retirez les couches ou les sous-vêtements sales. Demandez à l'enfant de se tenir à votre épaule ou à un autre support à proximité. Écartez les vêtements ou la couche souillés.

[4] Nettoyez l'enfant, si nécessaire. S'il est debout, l'opération sera plus facile s'il se penche légèrement en avant.

[5] Demandez à l'enfant de se mettre debout, les jambes légèrement écartées, à la largeur des épaules, pour réinstaller une couche, ou des sous-vêtements propres si la fonction « gestion autonome des déchets » est déjà opérationnelle. Rhabillez-le.

Programmer l'enfant pour une gestion autonome des déchets

Cette étape, appelée également « apprentissage de la propreté », peut se révéler ardue pour l'enfant et ses utilisateurs. Pour l'enfant, l'apprentissage de l'utilisation indépendante des toilettes implique la maîtrise d'une succession complexe de compétences. Certains enfants sont pressés d'y parvenir et apprennent quasiment tout seuls, tandis que d'autres opposent de la résistance au processus. Il est important que l'utilisateur reste détendu en toutes circonstances.

Signes indiquant que l'enfant est prêt (Fig. A)

Avant de commencer le processus de formation, assurez-vous que l'enfant est prêt, afin que l'opération soit une réussite. En règle générale, un enfant en bonne santé est prêt à commencer la phase de formation entre 24 et 30 mois suivant la première mise en service. Les filles sont souvent prêtes plus tôt que les garçons. Avant que vous installiez la mise à jour permettant une gestion autonome des déchets, l'enfant doit afficher les caractéristiques suivantes :

- Compétences motrices. Il doit être capable de ramasser des objets, de baisser et de remettre ses sous-vêtements, et de se déplacer facilement d'une pièce à l'autre.

- Maturité de la vessie et du sphincter. L'enfant doit pouvoir rester sec pendant quelques heures d'affilée et uriner seulement 4 à 6 fois par jour, en vidant entièrement sa vessie. S'il a été constipé récemment (selles dures, maux de ventre) ou s'il se retient, parlez-en avec son chargé de maintenance.
- L'enfant doit être capable de comprendre des mots liés à cette fonction, comme « pipi », « caca », « mouillé », « sec », « sale » et « pot ».
- Aptitude et motivation. L'enfant doit être capable de reproduire des gestes simples (comme applaudir). Il doit comprendre et avoir envie de comprendre des consignes simples comme « viens, s'il te plaît » ou « assieds-toi ». S'il s'oppose souvent à vous ou s'il a des colères fréquentes, travaillez sur ce comportement avant de passer à l'apprentissage de la propreté (voir p. 169).
- Identification du besoin. L'enfant doit être capable de montrer qu'il a besoin de faire pipi ou caca. Beaucoup d'enfants font une grimace, prennent une position particulière, en se mettant par exemple accroupis, ou vont à un endroit précis pour faire pipi ou caca. Ils peuvent aussi dire à leurs utilisateurs qu'ils ont envie de faire… ou qu'ils viennent de faire !

CONSEIL D'EXPERT : *ne laissez pas votre entourage exercer des pressions sur vous pour commencer l'apprentissage de la propreté si vous estimez que le moment n'est pas propice. Choisissez une période où l'environnement est relativement stable et le restera pendant quelques semaines. Ne commencez pas l'apprentissage de la propreté si vous venez de déménager ou si vous prévoyez de le faire, si vous allez avoir ou venez d'avoir un nouveau bébé ou si des évènements particuliers troublent ou ont troublé l'équilibre de la famille. Si vous avez déjà commencé l'apprentissage de la propreté lorsque ces problèmes surviennent et si l'enfant continue à faire des progrès, mêmes lents, ne lui remettez pas de couches. Continuez le processus, en faisant preuve de patience.*

Préparer la reprogrammation

[1] Montrez à l'enfant le bon comportement à adopter. Laissez-le venir aux toilettes avec vous et expliquez-lui ce que vous allez faire (« Maman va aux toilettes pour faire pipi »). Les utilisateurs masculins montreront l'exemple en s'asseyant sur les toilettes jusqu'à ce que l'enfant soit totalement programmé pour une gestion autonome des déchets.

[2] Apprenez à l'enfant à baisser et à remonter sa culotte (voir p. 113).

[3] Apprenez-lui à suivre vos consignes (voir p. 176).

[4] Achetez un pot et encouragez l'enfant à s'asseoir dessus. Plusieurs semaines avant le démarrage de la phase d'apprentissage, placez le pot dans les toilettes. Encouragez l'enfant à s'asseoir dessus tout habillé. Proposez-lui de regarder un livre illustré ou jouer à un jeu tout en étant installé sur le pot. Ne forcez jamais l'enfant à s'y asseoir contre sa volonté. Une fois qu'il a pris l'habitude de s'installer sur le pot, les parents peuvent commencer à transférer des déchets solides de la couche dans le pot, sous les yeux de l'enfant.

⚠ ***ATTENTION :*** *certains pots sont équipés d'un dispositif anti-éclaboussures avec lequel l'enfant peut se faire mal s'il essaie de s'asseoir tout seul, ce qui le rendra réticent à utiliser le pot. Si vous achetez un pot équipé d'un tel dispositif, choisissez-le en plastique doux et souple.*

[5] Félicitez l'enfant à chaque fois qu'il affiche un bon comportement lié à l'apprentissage de la propreté. Souriez et faites-lui un câlin ou un bisou. Vous pouvez aussi récompenser toute réussite par des autocollants, des timbres ou d'autres petites récompenses matérielles.

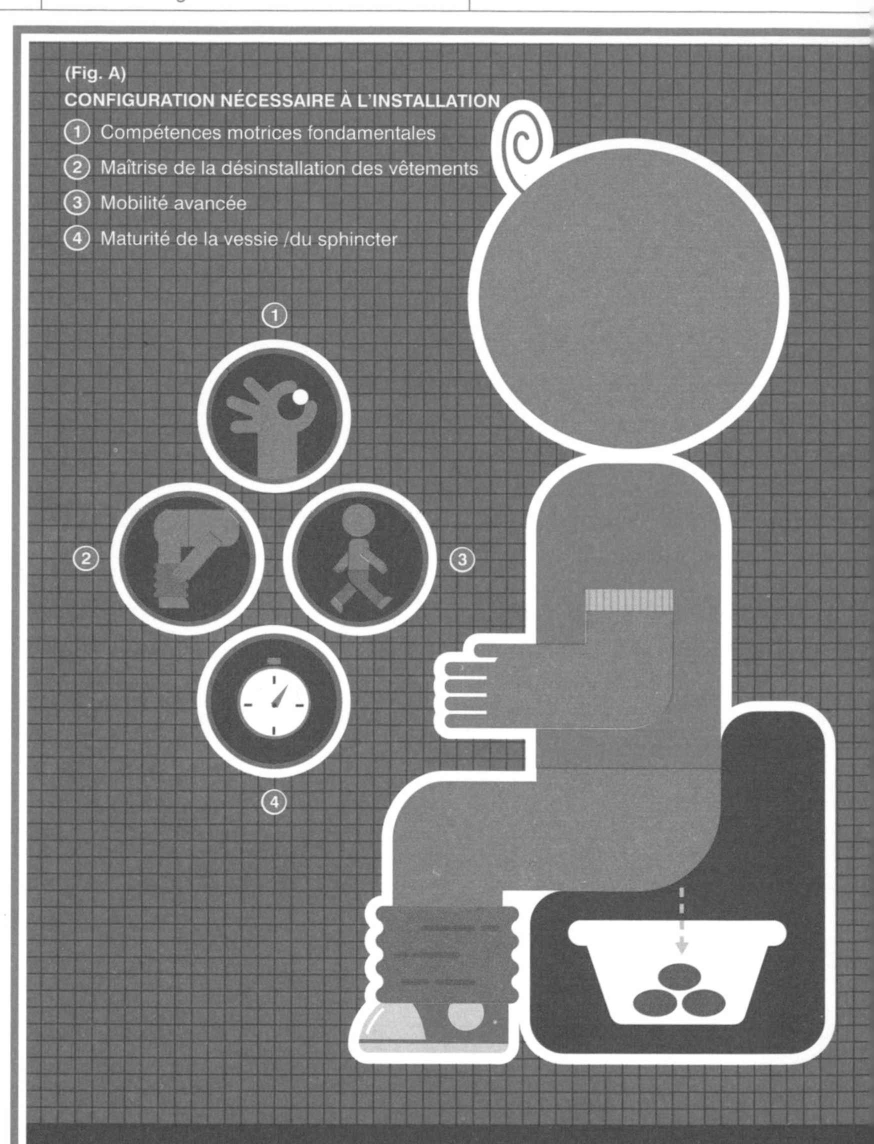

GESTION AUTONOME DES DÉCHETS : ce programme fondamental peut

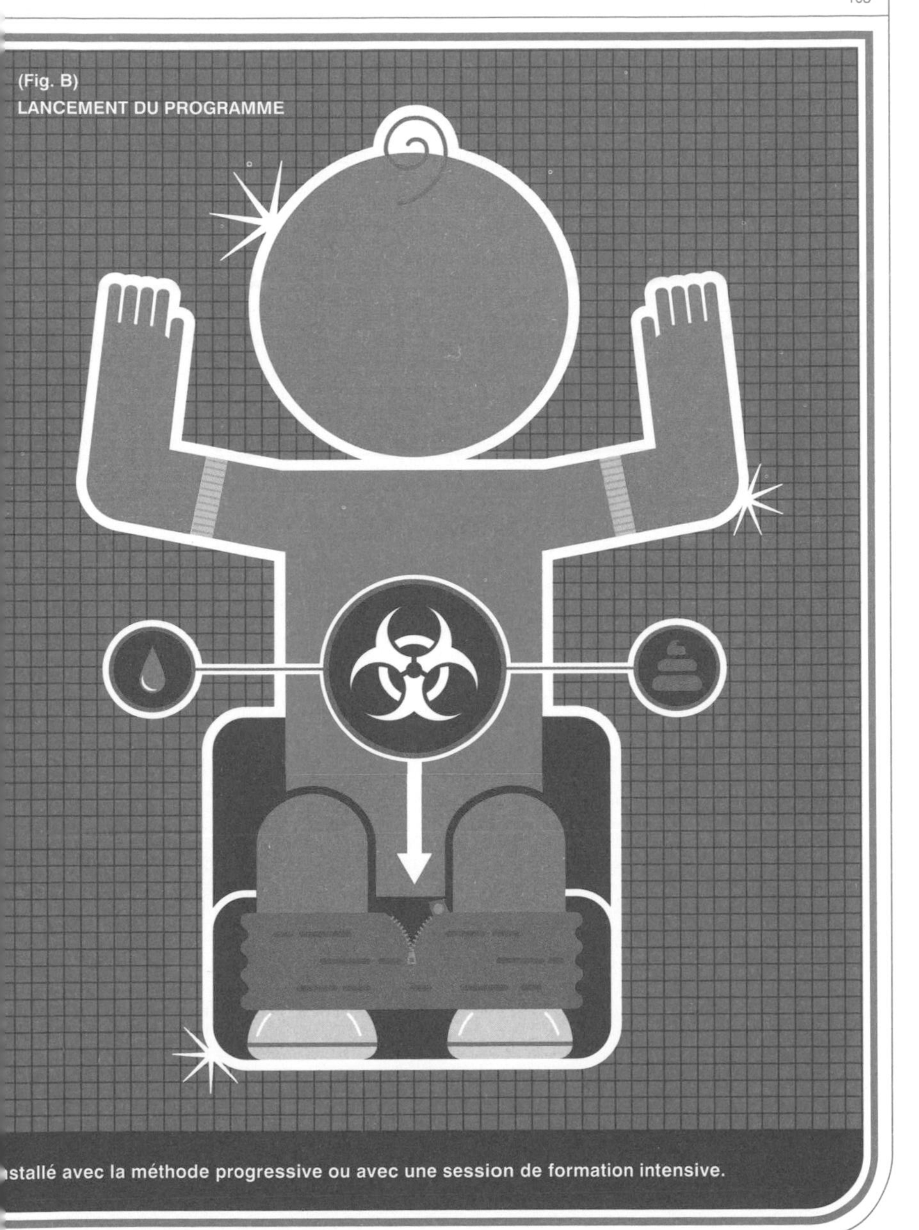

stallé avec la méthode progressive ou avec une session de formation intensive.

Reprogrammation : la méthode progressive

[1] Choisissez un moment qui vous convient et cessez totalement d'utiliser des couches, sauf pendant les périodes de sommeil. De nos jours, les couches sont si bien conçues qu'elles absorbent totalement l'humidité. Résultat : l'enfant ne ressent quasiment aucun inconfort. Comme elles sont également étanches, l'utilisateur ne détecte pas tout de suite une production de déchets (ce qui prolonge le processus de reprogrammation pour une gestion autonome).

⚠ ***ATTENTION** : si vous remettez des couches à l'enfant les jours où vous préférez éviter un accident, il ne saura plus où il en est et le processus de reprogrammation sera plus long.*

[2] Incitez l'enfant à s'installer sur son pot. Mieux vaut l'y asseoir souvent, pour de courtes périodes plutôt que de le laisser longtemps peu de fois. Commencez par de très courtes séances (quelques secondes), dont vous augmenterez progressivement la durée, pour arriver à 3 minutes chacune. Prolongez la séance si vous pensez qu'une production est imminente. Prévoyez les séances aux heures où la production de déchets est la plus probable, par exemple 15 à 20 minutes après un repas ou au réveil de la sieste.

***CONSEIL D'EXPERT** : faites asseoir les petits garçons sur le pot pour faire pipi jusqu'à ce que la propreté soit parfaitement acquise. Apprenez bien aux petites filles à s'essuyer d'avant en arrière pour éviter des infections.*

[3] Félicitez l'enfant en cas d'élimination réussie des déchets, encouragez-le et complimentez-le pour la réussite de chaque étape du processus. Pour beaucoup d'enfants, des félicitations suffisent. D'autres auront besoin d'être gratifiés de récompenses plus tangibles. Certains adorent tirer la chasse d'eau : réservez ce « privilège » à leur production dans le pot.

[4] Il y aura des accidents. Gardez le sens de l'humour et emportez dans vos déplacements un sac contenant des sous-vêtements et des vêtements de rechange, ainsi que des lingettes. En cas de raté, pas de critiques, de réprimandes, de longs discours ou de punitions. Restez neutre mais encourageant (« Je suis sûr que la prochaine, tu feras bien dans le pot »). Ne laissez pas l'enfant dans ses vêtements souillés – l'idée étant de rendre agréable la sensation d'être propre et au sec.

Reprogrammation : sessions de formation intensive

S'il est très rare qu'un enfant apprenne la propreté en un seul jour, les parents peuvent accélérer le processus d'acquisition lors d'une session de formation intensive. Choisissez un moment où vous resterez à la maison, sans distractions. N'essayez pas de faire autre chose ce jour-là que d'encourager l'enfant à aller sur le pot.

Appliquez les principes fondamentaux de la méthode précédente, auxquels viendront s'ajouter les étapes décrites ci-dessous pendant les séances. Prévoyez plusieurs sessions de formation intensive de deux heures pendant la semaine au cours de la phase de démarrage, en les espaçant au fur et à mesure que l'enfant maîtrisera les compétences. Si l'enfant réagit mal à ces sessions intensives, interrompez-les pendant quelques semaines et appliquez la méthode progressive.

[1] Augmentez la consommation de boissons de l'enfant. Cela multipliera les occasions d'apprendre à aller aux toilettes. Une heure environ avant une session, incitez-le gentiment à boire au moins 250 ml en une heure. Proposez-lui différentes boissons.

[2] Suggérez régulièrement à l'enfant de s'asseoir sur son pot. Pendant les sessions, proposez-le lui au moins toutes les 15 minutes. Observez-le attentivement, en étant à l'affût d'indices indiquant une envie pressante (il change

d'expression, il se touche l'entrejambe, il croise les jambes, il s'accroupit, il se tortille, il a des gaz) et l'imminence d'une production de déchets. Prenez-le tout de suite par la main et faites-le asseoir sur son pot.

[3] Vérifiez toutes les 5 minutes que ses sous-vêtements sont bien secs. Utilisez une minuterie pour penser à vérifier. Félicitez-le (« C'est super, ta culotte n'est pas mouillée ») ou donnez-lui de petites récompenses si les vêtements restent secs pendant les sessions intensives.

[4] En cas d'accident, faites immédiatement des « entraînements » au pot. Quand vous constatez que l'enfant est mouillé, dites calmement : « Tu viens de te mouiller. Viens, on va s'entraîner à aller sur le pot ». Changez rapidement les vêtements mouillés. Puis amenez l'enfant là où il se trouvait lorsque l'accident s'est produit ou lorsque vous l'avez découvert. Puis conduisez-le calmement sur le pot. Aidez-le à baisser ses sous-vêtements, à s'asseoir sur le pot (une seconde ou deux), à se relever et à remettre ses sous-vêtements. Retournez à l'endroit où l'accident est arrivé. Répétez la procédure jusqu'à ce que l'enfant ait réalisé cinq entraînements.

***CONSEIL D'EXPERT** : repoussez de quelques semaines l'entraînement au pot si l'enfant ne fait pas de progrès ou si le processus commence à vous exaspérer. Envisagez de contacter le médecin de l'enfant si celui-ci*

- refuse de s'asseoir sur le pot ou sur les toilettes
- réagit de manière négative à chaque fois que le sujet de l'apprentissage de la propreté est abordé
- est constipé ou se retient de faire caca

Formation pour la nuit

Le contrôle de la vessie pendant la nuit s'acquiert plus tard que celui en journée (quelques mois, voire de quelques années plus tard). Entre 2 ou 3 ans après la livraison, seuls 45 % des filles et 35 % des garçons ont acquis la propreté de nuit. Des accidents nocturnes occasionnels sont normaux jusqu'à 5 ou 6 ans.

Une fois que l'enfant est totalement reprogrammé pour une gestion autonome des déchets en journée, utilisez le « Tableau de gestion des déchets » de la p. 214 pour noter combien de fois l'enfant se réveille sec. S'il est mouillé presque tous les matins au réveil, gardez encore la couche pendant un temps. S'il est plus souvent sec que mouillé, la maturité de sa vessie s'améliore. Envisagez de retirer la couche et de protéger le matelas avec une alèse imperméabilisée. Mettez deux épaisseurs de draps (draps, alèse, draps, alèse) : ainsi, en cas d'accident, vous n'aurez pas besoin de refaire le lit, mais vous pourrez vous contenter d'enlever une épaisseur. Si vous lui ôtez la couche, l'enfant dont la vessie est prête obtiendra le « feedback » nécessaire (mouillé = sensation d'inconfort) pour apprendre à se contrôler et à se réveiller pour aller aux toilettes.

Évitez de lui donner beaucoup à boire et des boissons caféinées avant d'aller dormir. Toutefois, ne l'empêchez pas de boire. Félicitez-le et/ou récompensez-le pour les nuits sans pipi. Ne punissez pas l'enfant qui fait au lit.

Toilettes publiques

Accompagnez toujours votre enfant dans les toilettes publiques. Les enfants de moins de 4 ans, garçons ou filles, peuvent venir avec vous dans les toilettes correspondant à votre sexe, indépendamment du leur. Un enfant de 3 ans rechignera peut-être à aller dans les « mauvaises » toilettes, mais il finira par s'exécuter si l'utilisateur insiste.

Activation de la fonction « auto-nettoyage »

S'il n'est pas nécessaire de donner le bain tous les jours (en fait, un bain quotidien peut même renforcer certains problèmes de peau, voir p. 204), beaucoup de modèles apprécient le rituel du bain le soir, avant le coucher. Continuez à donner le bain à l'enfant comme vous le faisiez lorsqu'il était bébé, et utilisez les techniques indiquées ci-dessous pour installer la fonction « auto-nettoyage ».

⚠ ***ATTENTION:*** *ne laissez jamais un enfant sans surveillance dans une baignoire !*

Auto-nettoyage

Lorsque vous apprendrez à l'enfant à se laver seul, laissez-le faire ses expériences avec un gant de toilette et du savon. Plus il sera à l'aise avec ces accessoires, plus il arrivera à les utiliser correctement.

Une approche consiste à aller dans la baignoire avec l'enfant pour lui montrer comment procéder. Mouillez le gant de toilette, mettez-y un peu de savon et laissez frotter l'enfant

Laver les cheveux

Utilisez la méthode suivante:

[1] Grimpez dans la baignoire avec l'enfant.

[2] Donnez-lui un gobelet et demandez-lui de le remplir d'eau.

PROGRAMMATION DU MODE AUTO-NETTOYAGE

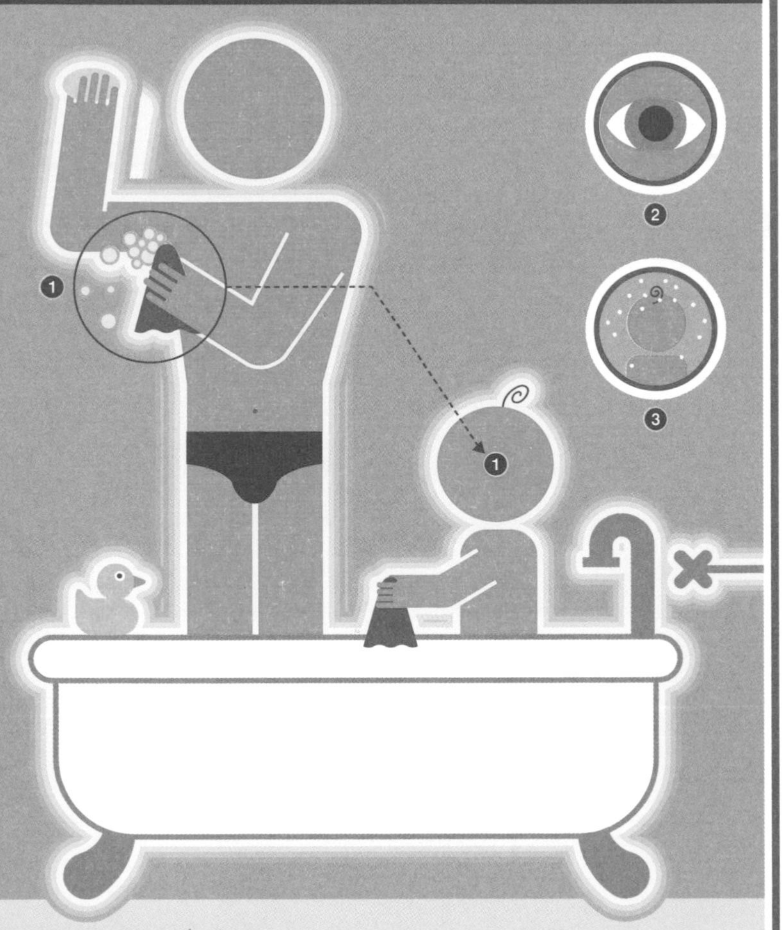

CONSEILS DE PROGRAMMATION

1. La démo déclenche l'installation du programme
2. Supervisez systématiquement le processus du bain
3. Des bains trop fréquents peuvent dessécher la peau

[3] Demandez à l'enfant de vous verser de l'eau sur la tête. Il jugera sans doute l'opération si amusante qu'il aura envie de la répéter.

[4] Encouragez l'enfant de se verser l'eau sur la tête. Cette étape peut se révéler ardue, car beaucoup d'enfants n'aiment pas avoir la tête mouillée. Si c'est le cas du vôtre, faites-le se mouiller les cheveux avec le gant de toilette ou pencher la tête en arrière (avec votre aide) pour mettre ses cheveux dans l'eau.

[5] Appliquez une petite quantité de shampoing spécial bébés sur la tête de l'enfant ou laissez-le faire. Faites mousser.

[6] Demandez à l'enfant de fermer les yeux et répétez l'étape 4. Rincez soigneusement le visage. Vérifiez qu'il n'y a plus de shampoing avant de lui demander d'ouvrir les yeux.

CONSEIL D'EXPERT : *laissez l'enfant vous laver les cheveux pour qu'il puisse visualiser le processus. Une fois qu'il sera familiarisé avec l'opération, le programme d'auto-nettoyage s'installera plus facilement.*

Laver les mains

Apprenez à l'enfant à se laver souvent les mains avant qu'il ait deux ans. Pour installer cette fonction, lavez-vous les mains avec lui. Faites couler l'eau en réglant la température pour qu'elle ne soit pas trop chaude. L'enfant ne doit pas avoir le droit de toucher au robinet d'eau chaude. Dans un premier temps, tenez les mains de l'enfant sous l'eau, mettez du savon sur l'avant et l'arrière de ses mains, frottez, rincez et séchez.

Pour programmer l'auto-nettoyage des mains, demandez à l'enfant d'exécuter l'une de ses tâches, puis aidez-le à effectuer les autres. Une

fois qu'il sait tenir ses mains sous l'eau, demandez-lui de mettre le savon, puis aidez-le pour le reste de l'opération. Poursuivez ainsi, jusqu'à ce que l'enfant maîtrise toutes les étapes du processus.

Laver les dents

Il n'est pas nécessaire d'emmener l'enfant chez le dentiste avant l'âge de deux ans, sauf bien sûr en cas de traumatisme dentaire (voir p. 203). En revanche, une installation précoce du programme d'hygiène dentaire permettra à l'enfant d'avoir des dents saines pour toute sa vie. Beaucoup de modèles ne savent pas se laver efficacement les dents seuls avant l'âge de 4 ou 5 ans. En attendant, laissez l'enfant de se familiariser avec sa brosse à dents et s'initier à son maniement. Montrez-lui comment vous vous lavez les dents et demandez-lui d'imiter vos gestes, en utilisant sa brosse à dents.

Si l'enfant aime bien se laver les dents tout seul, inspectez ses dents à l'issue de la procédure, et faites les finitions. Soyez positif, et cherchez les endroits qui « brillent ». Lavez ses dents ou laissez-le se laver au moins deux fois par jour. Brossez-lui aussi la langue pour éviter qu'il ait mauvaise haleine.

Beaucoup d'enfants n'aiment pas le goût du dentifrice. On peut tout à fait laver les dents en mouillant simplement la brosse ou utiliser un dentifrice spécial pour enfants (avec un tube qui lui plaira, contenant un dentifrice qu'on peut avaler), en toutes petites quantités.

***CONSEIL D'EXPERT** : si l'enfant est réticent, utilisez des accessoires ornés de ses personnages préférés. Ou bien achetez plusieurs brosses différentes et laissez-le choisir celle qu'il souhaite, à chaque fois qu'il se lave les dents.*

Installation de la fonction « habillage autonome »

Beaucoup de modèles ne possèdent pas les compétences physiques nécessaires pour s'habiller seuls avant l'âge de 3 ans ou 3 ans et demi. De plus, l'envie de s'habiller quand cela leur est demandé peut se faire attendre quelques années encore. Aidez l'enfant à s'entraîner à s'habiller tout seul, mais ne forcez pas le processus si votre modèle oppose de la résistance.

***CONSEIL D'EXPERT**: parallèlement à l'envie de s'habiller tout seul, on constate aussi un intérêt croissant de l'enfant pour les vêtements qu'il porte. Si vous n'avez pas envie de laisser l'enfant mettre ce qu'il veut, proposez-lui deux vêtements au choix. Beaucoup d'enfants en quête d'autonomie apprécieront d'avoir une « maîtrise » sur le processus. Quant à vous, vous aurez l'assurance que, quelle que soit la tenue choisie, elle sera adaptée aux conditions climatiques et au contexte.*

Pour faciliter le processus d'auto-habillage, choisissez des vêtements répondant aux critères suivants :

- T-shirts amples avec de grandes encolures.
- Pantalons amples avec taille élastique.
- Limitez le nombre de boutons, de pressions et de fermetures à glissière. Évitez également les cordons, avec lesquels l'enfant peut s'étrangler.
- Pour les chaussures préférez les fermetures à scratch.

***CONSEIL D'EXPERT**: l'utilisateur modulera son assistance en fonction des compétences de l'enfant. Aidez-le pour les étapes où il a vraiment besoin de vous, puis mettez-vous progressivement en retrait, à mesure qu'il développe* *ses propres compétences. Par exemple, écartez bien les jambes du pantalon, pour que l'enfant puisse y glisser son pied, puis reculez-vous pendant qu'il remonte le pantalon jusqu'à la taille. Félicitez-le.*

Installation des sous-vêtements et du pantalon

[1] Demandez à l'enfant de s'allonger sur le dos (Fig. A). Vous pouvez vous allonger, vous aussi, pour lui montrer comment procéder.

[2] Levez vos jambes et celles de l'enfant en l'air, de manière à ce qu'elles forment un angle de 90 degrés avec le sol (Fig. B).

[3] Expliquez à l'enfant comment glisser chaque pied dans le trou correspondant du sous-vêtement (Fig. C). Vous devrez peut-être l'aider à exécuter ce mouvement jusqu'à ce que sa çoordination soit pleinement développée.

[4] Demandez à l'enfant de saisir l'élastique du sous-vêtement et de le tirer vers sa taille (Fig. D). Montrez-lui comment bien le faire passer sur ses hanches.

[5] Posez les pieds de l'enfant bien à plat, les genoux pliés. Dites-lui de soulever ses fesses, en poussant sur ses pieds et en levant les hanches.

[6] Encouragez votre modèle à continuer à mettre en place le sous-vêtement. Une fois l'opération achevée, vérifiez si le vêtement est bien placé et rectifiez si nécessaire. Félicitez l'enfant.

[7] Répétez la procédure avec le pantalon de l'enfant (fig. E).

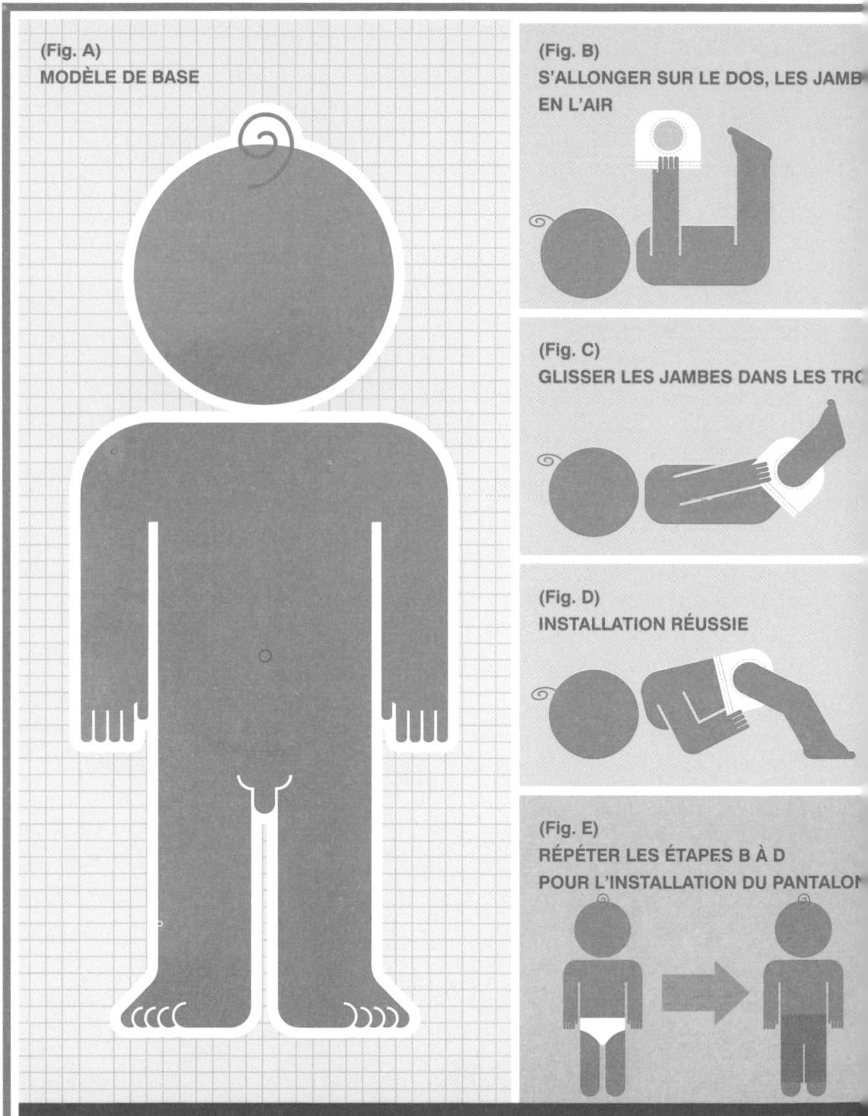

(Fig. A)
MODÈLE DE BASE

(Fig. B)
S'ALLONGER SUR LE DOS, LES JAMB
EN L'AIR

(Fig. C)
GLISSER LES JAMBES DANS LES TR

(Fig. D)
INSTALLATION RÉUSSIE

(Fig. E)
RÉPÉTER LES ÉTAPES B À D
POUR L'INSTALLATION DU PANTALO

AUTO-HABILLAGE : l'installation peut être amusante si l'utilisateur

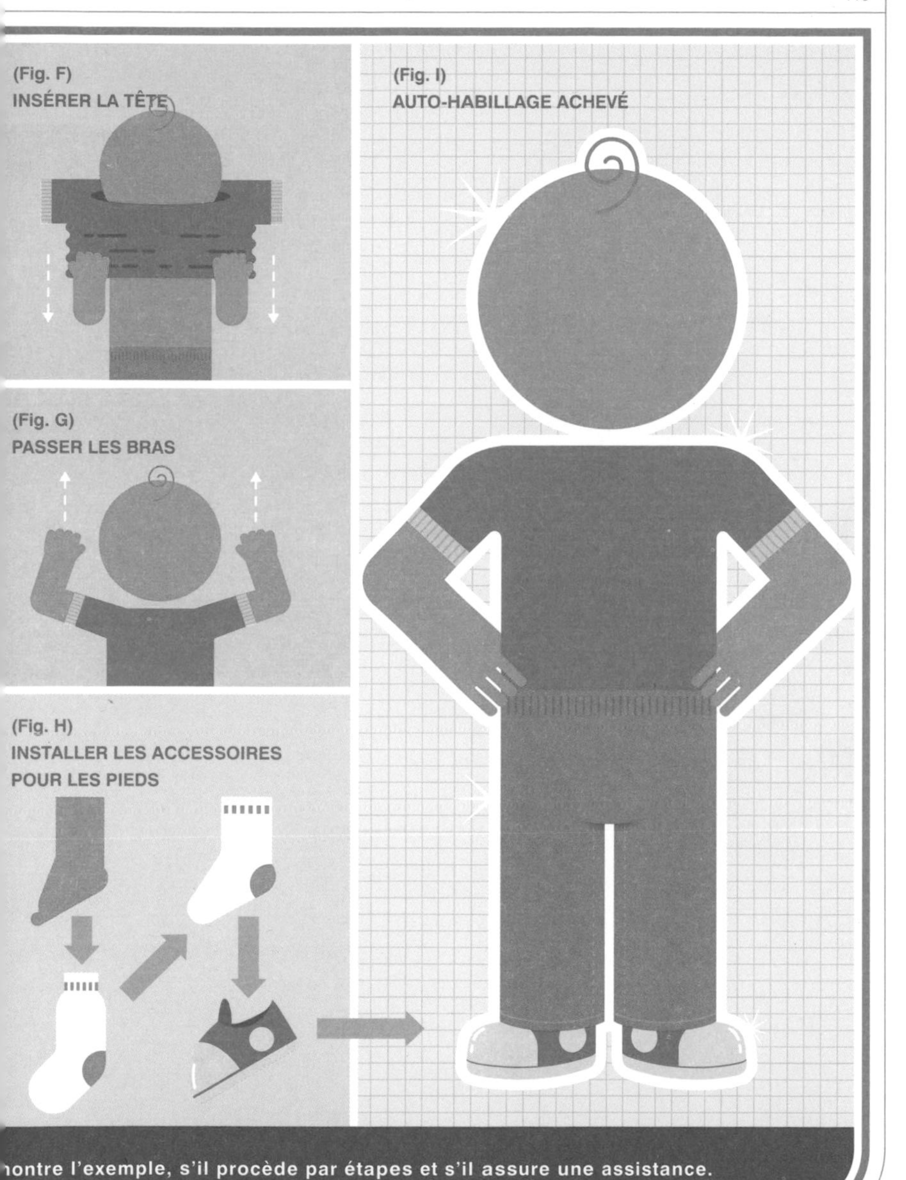

ıontre l'exemple, s'il procède par étapes et s'il assure une assistance.

***CONSEIL D'EXPERT** : si l'enfant a accès à une unité plus ancienne, laissez-le regarder l'enfant plus âgé s'habiller tout seul. L'observation lui apprendra peut-être à s'habiller plus vite.*

Installation du T-shirt

Fournissez à l'enfant un T-shirt à manches courtes, ample et à grande encolure pour s'entraîner. Restez patient : l'apprentissage du processus peut susciter des sentiments de frustration de l'enfant.

[1] Froncez un T-shirt de la base jusqu'à l'encolure puis expliquez à l'enfant comment saisir le vêtement par l'arrière du col.

[2] Aidez l'enfant à glisser sa tête dans l'encolure (Fig. F). Évaluez son niveau de patience. S'il s'amuse, laissez-le faire. S'il s'énerve, intervenez et aidez-le en guidant ses gestes et en lui expliquant comment procéder.

[3] Dites à votre modèle de saisir le bas du T-shirt et de tirer vers le bas pour se couvrir.

[4] Tenez la base du T-shirt et aidez l'enfant à glisser ses bras dans les ouvertures (Fig. G). Aidez-le autant que nécessaire, mais pas plus, jusqu'à ce que les deux bras soient dans les manches.

[5] Vérifiez l'installation et procédez aux ajustements nécessaires.

***CONSEIL D'EXPERT** : encouragez l'enfant à habiller une poupée ou une peluche pour s'entraîner au maniement des fermetures à glissière, des boutons et des pressions.*

Installation des chaussettes et des chaussures (Fig. H)

Cette installation exige des compétences avancées et peut se révéler compliquée pour un jeune enfant. Laissez-le explorer la désinstallation de ses périphériques (les siens et les vôtres) pour l'initier à leur fonctionnement.

[1] Étirez une chaussette pour la passer sur les orteils de l'enfant. Mieux vaut que les parents exécutent cette étape lors des premières phases de l'auto-habillage, car la manœuvre peut se révéler difficile.

[2] Demandez à l'enfant de s'asseoir et de saisir le haut de la chaussette, des deux côtés. Tendez vos pieds et dites à l'enfant de faire comme vous.

[3] Montrez et expliquez à l'enfant comment remonter la chaussette, jusqu'à ce que ses doigts de pied touchent le bout. Il est possible qu'il ait besoin d'une assistance pour faire passer la chaussette sur son talon.

[4] Répétez les étapes 1 à 4 pour l'autre pied.

[5] Ouvrez une chaussure aussi grand que possible. Défaites les boucles, ouvrez les scratchs ou délacez les lacets.

[6] Glissez la pointe du pied de l'enfant dans la chaussure. Si la chaussure a une languette, tenez-la pour éviter qu'elle gêne.

[7] Demandez à l'enfant de se tenir à vos épaules pendant qu'il glisse son pied dans la chaussure, debout.

[9] Répétez les étapes 6 à 8 pour l'autre pied.

CONSEIL D'EXPERT : *pensez à mettre à l'enfant des mules ou des sandales, pour faciliter le processus de formation. Dans un premier temps, l'enfant aura peut-être du mal à marcher avec ces accessoires, mais il s'y fera très rapidement. La plupart des enfants maîtrisent souvent mieux la désinstallation que l'installation des chaussures. Encouragez-le à pratiquer ces deux activités.*

Installation du blouson

Utilisez la procédure suivante pour former l'enfant à l'auto-installation du blouson

.

[**1**] Posez le blouson par terre (avec l'avant vers le haut). Ouvrez l'avant du blouson et écartez les manches, de part et d'autre. Veillez à ce que l'ouverture des manches soit visible et accessible.

[**2**] Demandez à l'enfant de se placer devant le haut du blouson (côté col), mais pas au-dessus.

[**3**] Dites-lui de glisser ses deux bras dans les ouvertures des manches. Il devra sans doute se pencher légèrement en avant, et il est possible que vous deviez l'aider à glisser ses bras dans les manches. Assurez-vous que les deux bras sont insérés à moitié dans les manches avant de passer à l'étape 4.

[**4**] Demandez à l'enfant de lever les bras au-dessus de sa tête, tout en les gardant dans les manches. Il est possible que vous ayez à l'assister si le vêtement reste coincé sur sa tête.

[**5**] Fermez le blouson ou demandez à l'enfant de le faire.

Gérer un modèle dont la fonction « auto-habillage » est ralentie ou en panne

Beaucoup d'enfants ne s'habillent pas tout seuls lorsqu'on le leur demande, même s'ils en sont parfaitement capables. Assurez-vous que votre modèle possède bien les compétences motrices pour s'habiller tout seul, puis appliquez la stratégie suivante :

[1] Dites à l'enfant qu'il dispose d'un temps donné (10 à 20 minutes) pour s'habiller tout seul, et réglez une minuterie de cuisine sur la durée indiquée.

CONSEIL D'EXPERT : *félicitez souvent l'enfant lorsqu'il apprend et pratique des compétences d'habillage. Au début, extasiez-vous sur toutes les réussites, même mineures (comme glisser le bras dans une manche), que la tâche soit exécutée correctement ou non. Concentrez-vous sur les félicitations pendant que l'enfant s'habille, puis procédez aux retouches nécessaires si le T-shirt ou le pantalon est à l'envers ou si le pied se trouve dans la mauvaise chaussure.*

[2] Au début de la phase de formation, vérifiez régulièrement où en est l'enfant, tout en lui laissant une certaine autonomie dans la gestion de son temps.

[3] Si l'habillage est achevé avant la sonnerie de la minuterie, félicitez l'enfant et récompensez-le : consacrez-lui 10 ou 20 minutes de votre temps ou offrez-lui un autocollant ou une autre petite récompense. S'il n'est pas prêt dans les temps, dites-lui de continuer à s'habiller. Si nécessaire, au bout de 5 à 10 minutes, habillez-le. Pendant cette période, ne jouez pas avec lui ou ne discutez pas d'autre chose que de l'habillage. Ne lui donnez pas de récompense.

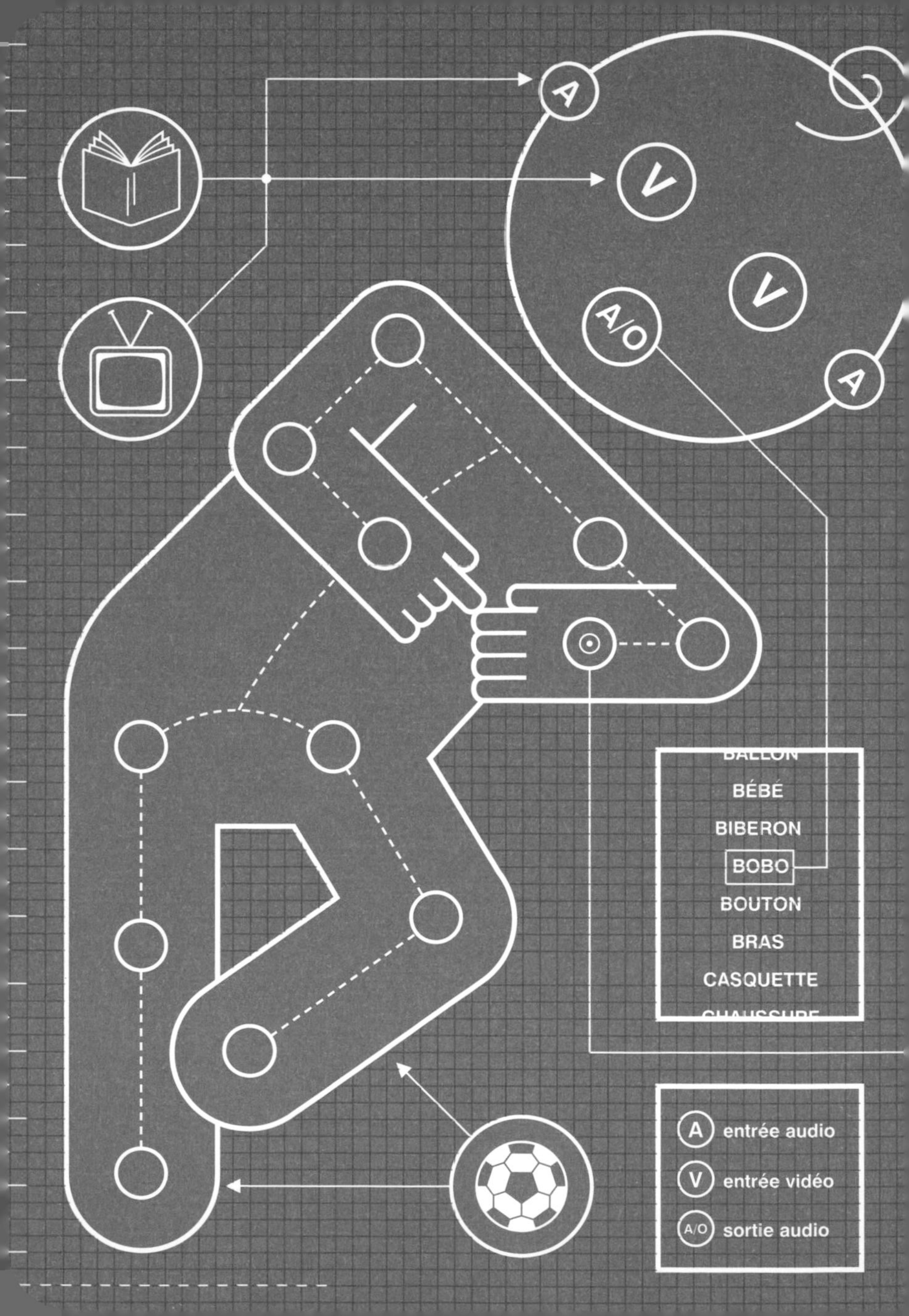
A
V
V
A/O
A
BÉBÉ
BIBERON
BOBO
BOUTON
BRAS
CASQUETTE
A entrée audio
V entrée vidéo
A/O sortie audio

[Chapitre 6]

Croissance et développement

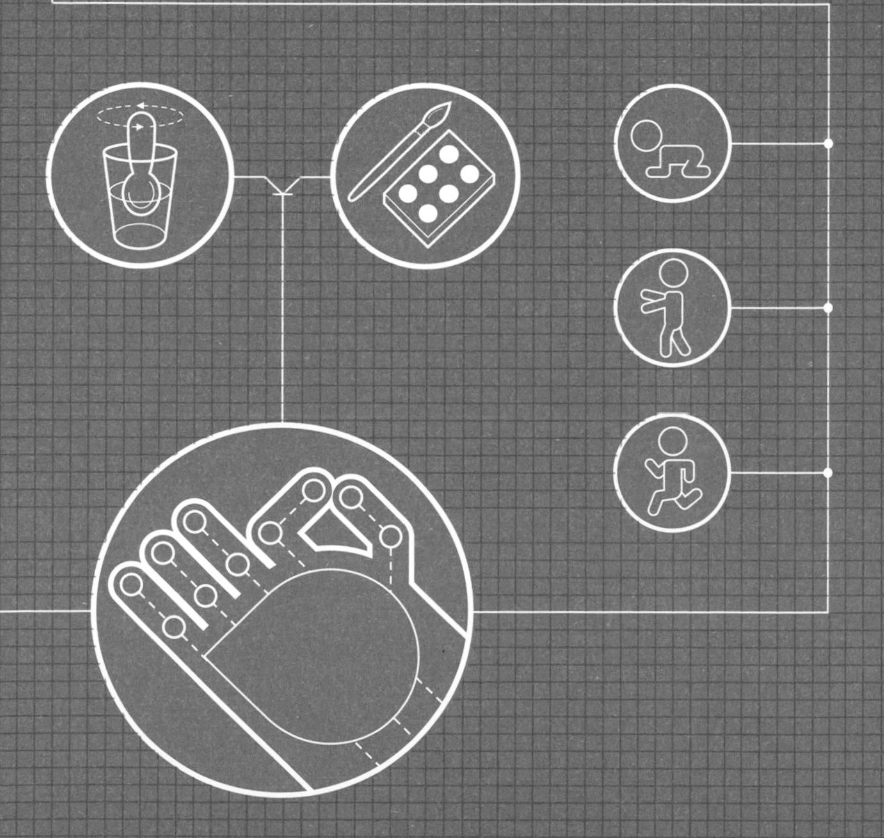

Croissance et développement physique

L'enfant grandit et prend du poids nettement plus lentement qu'au cours de la première année de fonctionnement. Entre 12 et 24 mois, la plupart des modèles prennent 13 cm et 1,8 à 2,3 kilos, puis 5 à 8 cm et 2,3 kilos entre 24 et 35 mois.

Les percentiles permettent de suivre le développement physique de l'enfant et de situer sa croissance par rapport aux moyennes nationales d'enfants du même âge et du même sexe. Les percentiles sont déterminés pour le poids et la taille, et parfois aussi pour le périmètre crânien.

Pour calculer le percentile de votre modèle, pesez-le et mesurez-le, puis notez les résultats. Ensuite, reportez-vous aux courbes p. 123-124 pour déterminer le percentile de votre enfant. Utilisez le tableau correspondant au sexe de l'enfant, puis trouvez son âge sur la ligne du bas, puis sa taille et son poids sur le côté. Faites un point à l'intersection de l'âge et du poids/de la taille.

Si votre petite fille est dans le 20e percentile de poids, par exemple, cela signifie qu'elle pèse plus que 20 % des autres filles du même âge. À savoir : beaucoup d'enfants n'ont pas les mêmes percentiles pour les différentes mensurations.

N'accordez pas trop d'importance à ces chiffres. Un enfant dans le 10e percentile de taille peut grandir et devenir relativement grand à l'âge adulte. Le facteur le plus important pour évaluer la croissance de l'enfant est le schéma de croissance de ses parents. Les individus qui étaient petits durant leur enfance peuvent avoir des enfants petits eux aussi.

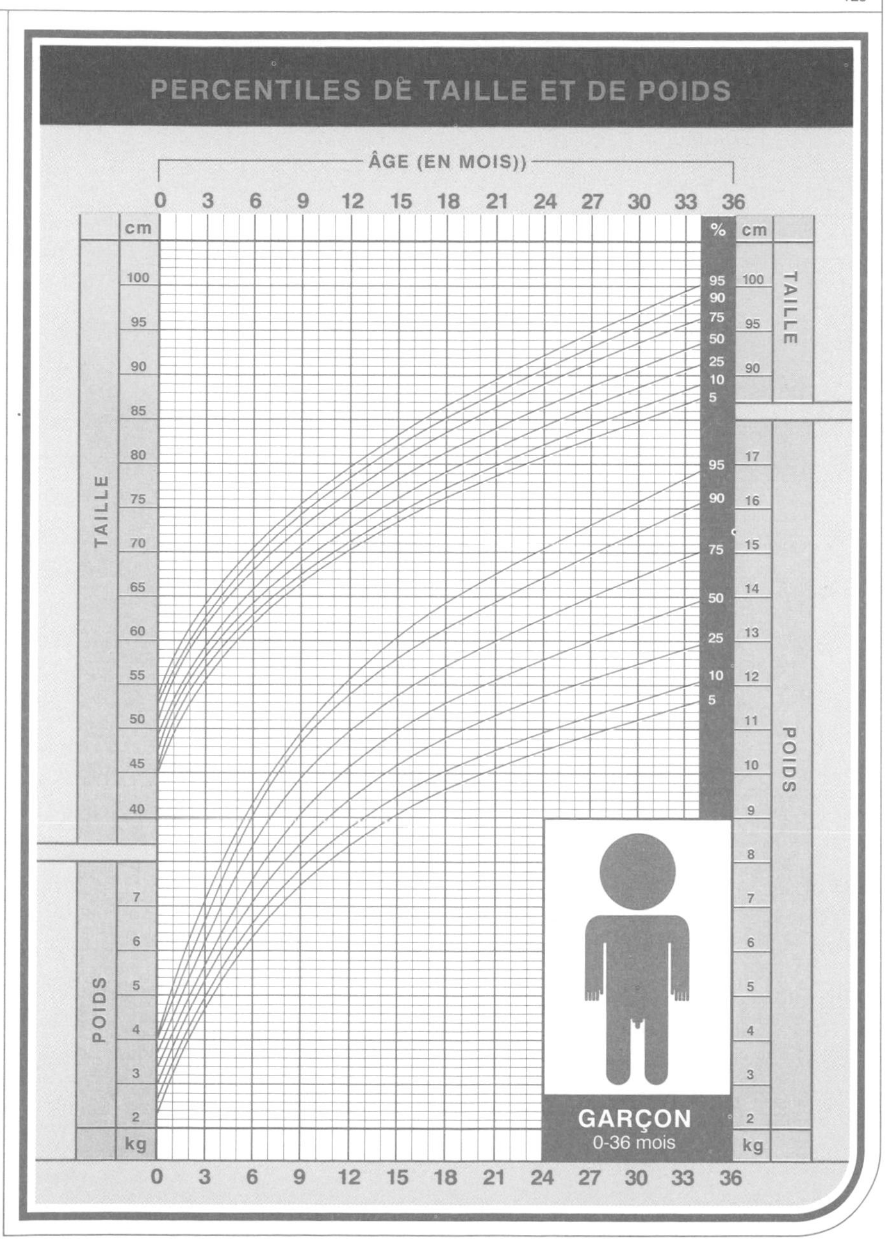
PERCENTILES DE TAILLE ET DE POIDS
ÂGE (EN MOIS))
0 3 6 9 12 15 18 21 24 27 30 33 36
cm
%
TAILLE
100
95
90
85
80
75
70
65
60
55
50
45
40
95
90
75
50
25
10
5
POIDS
17
16
15
14
13
12
11
10
9
8
7
6
5
4
3
2
kg
GARÇON
0-36 mois

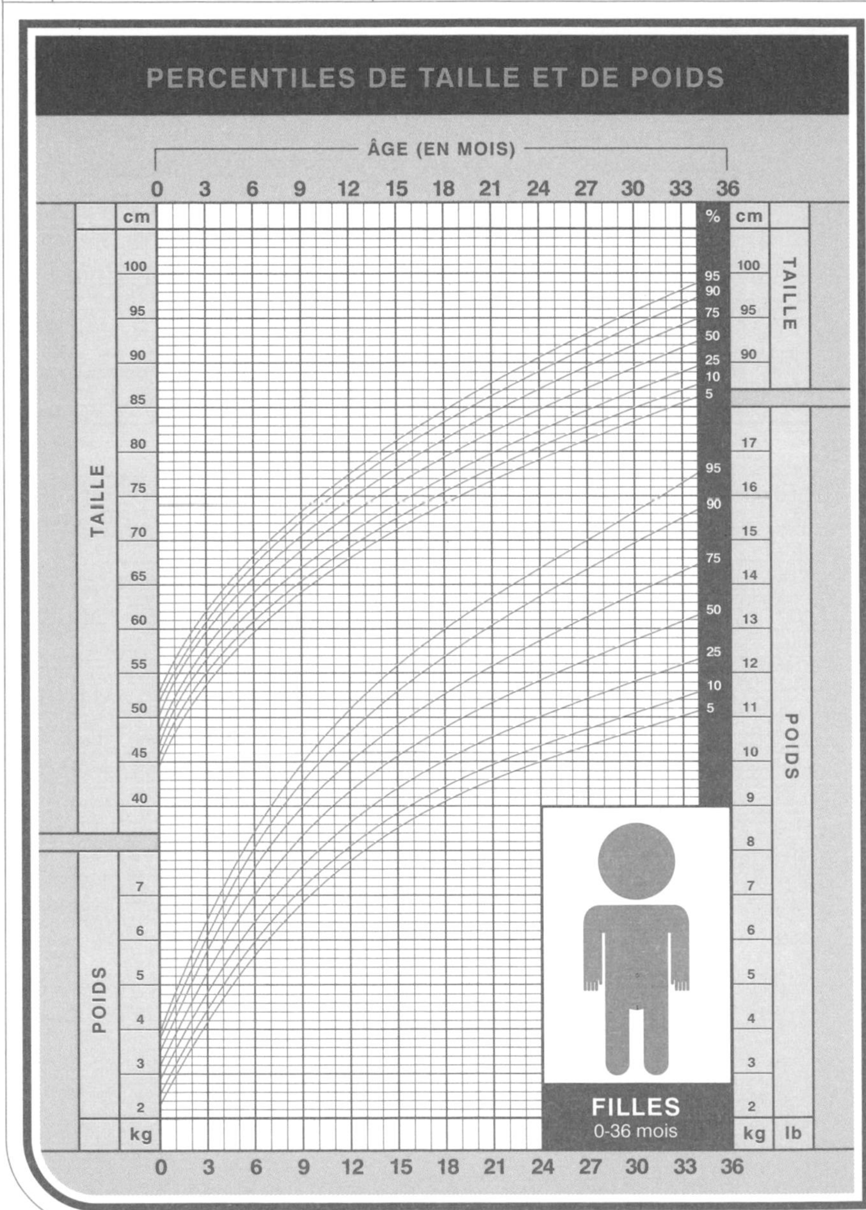
PERCENTILES DE TAILLE ET DE POIDS
ÂGE (EN MOIS)
0 3 6 9 12 15 18 21 24 27 30 33 36
cm
%
TAILLE
100
95
90
85
80
75
70
65
60
55
50
45
40
95 90 75 50 25 10 5
95 90 75 50 25 10 5
POIDS
17
16
15
14
13
12
11
10
9
8
7
6
5
4
3
2
kg
lb
FILLES
0-36 mois

*⚠ **CONSEIL D'EXPERT:** pour déterminer approximativement la taille d'un enfant à l'âge adulte, multipliez sa taille à 3 ans par 1,87 pour les garçons et par 1,73 pour les filles.*

Dents

La production des dents se poursuit. Celles-ci continuent à pousser jusqu'à l'âge de 3 ans environ. Plus tard (entre 6 et 7 ans), les dents de lait commenceront à tomber pour être remplacées par les dents définitives. Un jeu complet de dents de lait comprend:

- Quatre molaires
- Quatre prémolaires
- Quatre canines
- Quatre incisives latérales
- Quatre incisives centrales

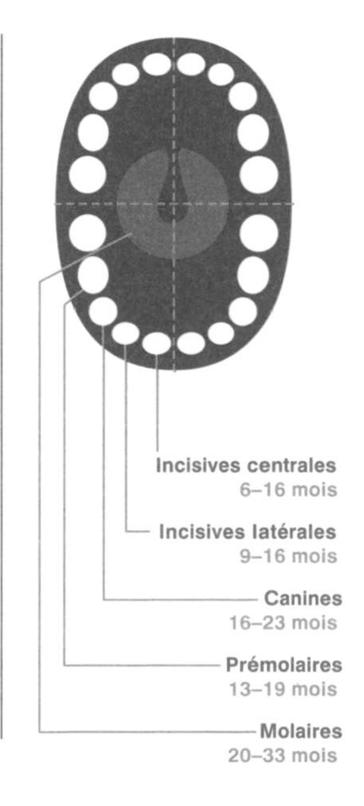

D'un modèle à l'autre, ces dents peuvent apparaître dans un ordre différent. Toutefois, la séquence standard est la suivante:

- Incisives centrales entre 6 et 16 mois
- Incisives latérales entre 9 et 16 mois
- Canines entre 13 et 19 mois
- Prémolaires entre 13 et 19 mois
- Molaires entre 20 et 33 mois

Ne vous inquiétez pas si votre enfant ne suit pas exactement ce schéma. Tant qu'il possède un total de 20 dents vers l'âge de 3 ans, son développement reste dans la norme. Continuez à vous occuper de ses dents et apprenez-lui à le faire tout seul (voir p. 111).

Mouvements et mobilité

La plupart des modèles ont commencé à se déplacer à quatre pattes et à se relever en s'agrippant à des meubles ou à d'autres supports avant l'âge d'un an. Toutefois, c'est durant les premières années de son existence que l'enfant développe pleinement sa mobilité. Les modèles standard savent marcher, en se tenant aux meubles ou à d'autres supports, 12 mois après la livraison. Les premiers pas indépendants suivent généralement peu de temps après. Vers 15 à 18 mois, la plupart des enfants sont capables se transporter des objets tout en marchant, même si leurs mouvements restent incertains. Entre 18 et 24 mois, la plupart des modèles commencent à se déplacer assez rapidement, mais il leur manque encore l'équilibre et la maîtrise nécessaires pour réussir les arrêts et les démarrages abrupts. Après 24 mois, la plupart des enfants améliorent leur contrôle et la coordination de leurs mouvements, acquérant des compétences comme le saut et l'escalade de chaises un pied après l'autre (par opposition à la reptation et à l'escalade des marches). À 36 mois, votre enfant se déplace avec confiance et assurance, maîtrisant des fonctions avancées comme le saut, le maintien sur un pied, l'arrêt précis, le lancer de balle et le changement de direction sans perte d'équilibre.

Jalons du développement physique

À mesure que l'enfant mûrit, il atteint certains jalons physiques. Toutefois, chaque modèle étant différent, les enfants n'atteignent pas tous un jalon donné dans les délais indiqués.

Les jalons décrits ici reposent sur une moyenne. Ne vous inquiétez pas si votre modèle n'est pas dans la moyenne. Il y a toujours des différences et un écart de la moyenne ne laisse rien présager des aptitudes futures de l'enfant. Si vous avez de réelles inquiétudes concernant son développement, parlez-en à son chargé de maintenance.

12 à 18 mois

12 à 18 mois après la livraison, on constate chez la plupart des modèles :

- Ralentissement de la croissance. Au cours des 12 premiers mois de fonctionnement, le poids de naissance de l'enfant a été multiplié par trois. Désormais, la croissance commence à ralentir (voir pages 123 et 124 pour les moyennes).
- L'enfant se redresse pour « marcher » en se tenant aux meubles vers 13 mois et marche tout seul vers 14 mois. À savoir : Les enfants équipés de têtes volumineuses et de grands corps ont tendance à marcher un peu plus tard que les autres, parce qu'un développement musculaire plus important est nécessaire pour permettre un bon fonctionnement.
- Il utilise son pouce et son index pour attraper des petits objets.
- Il explore moins les objets en les portant à la bouche, pour utiliser davantage des moyens visuels et tactiles.
- Sa mobilité accrue lui permet d'explorer, d'expérimenter et de maîtriser son environnement plus qu'avant. À cet âge, la sécurité doit être renforcée. L'environnement sera sécurisé et adapté à l'enfant, et l'utilisateur fera preuve d'une vigilance accrue pour garantir un fonctionnement optimal (voir p. 180).
- Il s'entraîne de manière intensive à la pratique de nouvelles compétences, comme l'empilage, l'escalade et la manipulation.

- Il sait faire des gestes des mains, comme montrer quelque chose avec l'index, pour indiquer qu'il le veut.
- Il est capable de « dessiner » avec des feutres ou des crayons de couleurs.
- Il sait lancer et faire rouler une balle.
- Il a appris à utiliser une cuillère pour remuer.

18 à 24 mois

Dans les 18 à 24 mois qui suivent la livraison, la plupart des enfants :

- Savent tenir debout sur un pied.
- Sont capables d'utiliser des outils (un marteau en jouet), des ustensiles (comme une cuillère) ou des crayons de couleur.
- Commencent à développer une préférence pour la main droite ou la main gauche pour certaines activités. Toutefois, cela peut changer selon les jours.
- Marchent mieux.
- Courent, grimpent aux meubles, montent les escaliers et escaladent le lit à barreaux pour en sortir.
- Observent attentivement et imitent les actions d'autrui.
- Savent donner un coup de pied dans un ballon, vers l'avant.

24 à 30 mois

Entre 24 et 30 mois suivant la livraison, la plupart des modèles :

- Savent empiler, organiser et classer des jouets similaires.
- Arrivent parfois à attraper un gros ballon lancé depuis une faible distance.
- Maîtrisent la faculté de courir et sauter.
- Savent s'habiller presque tout seuls et arrivent à désinstaller les vêtements de manière autonome.
- Tiennent en équilibre sur un pied, pendant un court instant.
- Savent faire avancer un jouet roulant sur le sol, en alternant les pieds.

30 à 36 mois

Entre 30 et 36 mois après la livraison, on constate que :

- Savent empiler, organiser et classer des jouets similaires.
- Arrivent parfois à attraper un gros ballon lancé depuis une faible distance.
- Maîtrisent la faculté de courir et sauter.
- Savent s'habiller presque tout seuls et arrivent à désinstaller les vêtements de manière autonome.
- Tiennent en équilibre sur un pied, pendant un court instant.
- Savent faire avancer un jouet roulant sur le sol, en alternant les pieds.

Développement du langage

Certains modèles commencent à émettre des sons présentant une ressemblance avec des mots dès l'âge de 6 mois. Au cours des premières années de l'existence, diverses mises à jour des programmes linguistiques surviennent, permettant de produire des mots, des phrases et à terme des énoncés ininterrompus. La plupart des unités commencent à parler entre 10 et 18 mois, mais la vitesse à laquelle s'effectuent les mises à jour varie d'un modèle à l'autre. À titre indicatif, un enfant de 12 mois connaît 6 mots, un enfant de 24 mois 400 mots, et un entant de 36 mois sait exprimer des milliers d'idées, à l'aide de phrases complètes.

Voici quelques techniques permettant de favoriser la mise à jour du programme linguistique de votre modèle

[1] Parlez à l'enfant. Plus il vous entendra utiliser des mots, plus ceux-ci lui seront familiers, et plus il aura de chances de les utiliser.

[2] Nommez les choses. Montrez-lui un chat et dites « regarde le chat ». Désignez une chaise et dites « c'est une chaise ». À terme, l'enfant répétera ces

mots. Il enrichira son vocabulaire et se familiarisera avec des mots courants. Plus tard, il commencera à vous demander le nom des choses.

[3] Dites-lui ce que vous faites. Décrivez-lui en détail vos actions, pour qu'il entende les mots dans leur contexte. Dites : « D'abord, je vais t'aider à enlever ton T-shirt, et puis je vais changer ta couche. Tiens, voilà les lingettes, avec lesquelles je vais t'essuyer. ».

[4] Lorsque l'enfant dit un mot, développez. S'il dit « camion », répondez « Oui, il y a un camion rouge à la station-service ». Votre réaction positive permet à l'enfant de savoir qu'il a bien utilisé le mot. La phrase complète place d'autres mots dans leur contexte exact, ce qui confirme à l'enfant la justesse de sa remarque.

[5] Faites des phrases courtes et simples, pouvant être comprises par l'enfant. Une fois qu'il aura étoffé ses compétences linguistiques, vous pourrez utiliser une syntaxe et un vocabulaire plus complexes.

[6] Lisez des livres. La lecture d'histoire à haute voix lui fait prendre conscience du lien entre les mots et leur sens, et enrichit son vocabulaire.

[7] Faites des jeux. Montrez un objet et demandez à l'enfant de le nommer. Demandez-lui des choses comme : « Comment elle fait, la vache ? » pour l'aider à développer ses capacités cognitives.

Jalons du langage

12 à 18 mois

Entre 12 et 18 mois après la livraison, la plupart des enfants :

- Réagissent à leur nom.
- Commencent à imiter ou à utiliser quelques mots simples pour communiquer. Les premiers mots prononcés désignent généralement une personne proche ou un objet familier.
- Maîtrisent le sens du mot « non ».
- Associent des mots et des gestes.
- Savent prononcer entre 2 et 50 mots.
- Reconnaissent entre 3 et 100 mots, plus qu'ils ne savent en dire.
- Comprennent des consignes simples.

18 à 24 mois

Entre 24 et 30 mois après la livraison, la plupart des enfants :

- Nomment les gens, animaux, jouets, aliments et autres choses connues, et associent à ces mots quelques verbes simples (aller, courir).
- Savent dire 10 à 100 mots.
- Comprennent jusqu'à 400 mots.
- Utilisent souvent les mots « moi », « mien/mienne » et « non ».
- Associent deux mots (« maman partie », « moi bobo »).
- Passent par la phase du « qu'est-ce que c'est ? », au cours de laquelle l'enfant peut multiplier son vocabulaire par trois en quelques semaines.

24 à 30 mois

Entre 24 et 30 mois après la livraison, la plupart des enfants :

- Font des « phrases » de deux mots.
- Enrichissent leur vocabulaire de verbes, pronoms et adjectifs.
- Savent nommer les parties du corps, les formes et les couleurs.

- Continuent à utiliser un langage centré sur eux, avec des mots comme « moi », « mien » et « non ».
- Parlent parfois tout seuls pour décrire ce qu'ils sont en train de faire.

30 à 36 mois

Entre 30 à 36 mois après la première mise en service, la plupart des enfants :

- Comprennent parfois plus de 1 000 mots.
- Font des progrès rapides sur le plan grammatical et syntaxique.
- Font des erreurs compréhensibles (comme « mon mien » ou « vous disez »).
- Ont une meilleure prononciation.
- Formulent des phrases de plus en plus complexes.
- Commencent à raconter de longues histoires ou des expériences détaillées.
- Cherchent à comprendre le monde qui les entoure, en demandant de nombreuses explications sur des événements spécifiques (« pourquoi ? »).

Développement social et émotionnel

Entre 12 et 36 mois, l'enfant est en proie à quantité d'émotions non-inhibées. Il maîtrise de nouvelles compétences physiques, cognitives et linguistiques, et il a soif d'indépendance. Mais, il peut avoir du mal à gérer la découverte de tant de nouveautés et n'est pas encore capable de s'exprimer sur le plan verbal ; physiquement, il n'est pas aussi autonome qu'il le voudrait. Ce décalage provoque des colères et des erreurs système.

Durant cette période, l'enfant est souvent exposé à de nouvelles situations sociales. Il se fait des amis, découvre de nouveaux jouets et des situations inédites. Dans un premier temps, l'enfant ne saura pas partager ou attendre son tour. Toutefois, avec un peu d'entraînement et le dével-

oppement de ses compétences émotionnelles et sociales, il affichera des signes de programmation socialement acceptable vers l'âge de 3 ans.

Le caractère de l'enfant et le type d'éducation prodigué par les parents sont déterminants pour le développement social. Les utilisateurs doivent encourager la curiosité et les velléités exploratrices de l'enfant, sans être trop directifs ou interventionnistes, tout en supervisant les activités de l'enfant et en imposant des limites, avec souplesse, pour garantir sa sécurité. Pour des conseils sur la programmation du développement social et émotionnel de l'enfant, voir chapitre 7 : « Discipline ».

Jalons émotionnels et sociaux

12 à 18 mois

Entre 12 et 18 mois, la plupart des modèles :

- Manifestent un vif intérêt pour l'exploration et la maîtrise de leur environnement. Des explorations couronnées de succès accroissent l'autonomie, l'indépendance et un sentiment d'estime de soi.
- Utilisent des signes non-verbaux pour communiquer (lever les bras vers l'utilisateur pour être soulevé, montrer un objet du doigt pour l'obtenir).
- Copient les actions de leur entourage.
- Commencent à jouer « à faire comme si », en imitant une activité familière avec des accessoires, comme boire dans un gobelet.
- Affichent une reconnaissance rudimentaire de comportements sociaux en fournissant une réponse adéquate aux expressions du visage ainsi qu'au ton et au volume de la voix.
- Jouent tout seuls et à côté (parallèlement) d'enfants du même âge.
- Tapent parfois pour s'affirmer ou pour protéger leur territoire ou leurs jouets.
- Ressentent un désir ambivalent de proximité et d'autonomie face à l'utilisateur.

18 à 24 mois

Dans les 18 à 24 mois qui suivent la livraison, la plupart des modèles :

- Ont des bouffées d'indépendance et veulent tout faire « tout seuls ».
- Sont plus irritables et méfiants ; les colères sont plus fréquentes, l'enfant cherche l'affrontement. Cette phase difficile atteint généralement son point culminant avant le deuxième anniversaire de l'enfant.
- Jouent à côté de leurs camarades, avec peu d'interactions ou d'échanges.
- Jouent à des jeux d'imitation, comme se déguiser ou s'exercer à des activités familières (donner à manger ou le bain à une poupée, etc.).
- Font preuve de compassion face à une personne triste et cherchent à la réconforter.
- Commencent à rester fâchés après une contrariété.

24 à 30 mois

Dans les 24 à 30 mois qui suivent la livraison, la plupart des modèles :

- Continuent à tester les limites et affichent leur indépendance, tout en observant de près les réactions des utilisateurs.
- Commencent à se conformer à des attentes sociales impliquant une meilleure maîtrise de soi (obéir, partager, jouer en interaction avec les autres).
- Maîtrisent de mieux en mieux le décryptage de signaux sociaux (faciaux, vocaux) pour interpréter les sentiments d'autrui.
- Affichent des « mini-obsessions » pour certains vêtements, aliments ou activités. Peuvent avoir envie d'avoir les mains propres (ou une couche propre).
- Adorent la routine d'une journée qui se déroule selon un schéma type (et insistent parfois pour qu'il en soit ainsi).

30 à 36 mois

Dans les 30 à 36 mois qui suivent la livraison, la plupart des modèles :

- Peuvent commencer à utiliser des stratégies de planification très simples.

- Progressent rapidement dans l'acquisition de compétences qui les rendent autonomes et dans les interactions sociales.
- Peuvent afficher une préférence pour certains amis ou camarades de jeu.
- Commencent à comprendre et à intégrer des règles (mais non leurs raisons).
- S'excusent parfois en cas de mauvais comportement et reconnaissent ces comportements chez les autres.
- S'identifient progressivement à leur sexe (« garçon » ou « fille ») et distinguent les rôles, les jeux et les activités masculins ou féminins.
- S'intéressent de plus en plus à l'humour et aiment faire « l'andouille », mais ne savent pas encore apprécier si l'endroit et le moment s'y prêtent.
- Ont de plus en plus de self-control, de bonne volonté, d'envie de faire plaisir et d'intérêt pour les relations avec des enfants du même âge.
- Intègrent des camarades dans leurs jeux « à faire comme si », pour jouer des rôles familiers (« on dirait que je suis le papa et toi la maman »).
- Commencent à tenir compte des idées, des sentiments et des souhaits d'autrui, ce qui permet de partager et d'attendre son tour plus facilement.

Préparer l'enfant à un mode de garde

Lorsqu'aucun utilisateur n'est disponible pour s'occuper de l'enfant, celui-ci peut être confié à une assistante maternelle ou à une crèche. La manière dont votre modèle réagira à la séparation dépend de son caractère, de la présence ou non de personnes qu'il connaît, de sa familiarité avec l'environnement et des caractéristiques physiques et du comportement de la personne assurant sa garde (par exemple la manière dont la personne approche l'enfant et se comporte avec lui). Dans tous les cas de figure, une transition progressive est recommandée.

PRÉPARATION DE L'ENFANT À UN MODE DE GARDE

CONSEILS POUR LA PHASE D'ADAPTATION

1. Laissez l'enfant explorer son nouvel environnement
2. Organisez des rendez-vous avec d'autres enfants
3. Dites toujours au revoir à l'enfant avant de partir
4. Mettez en avant les côtés positifs du nouvel environnement
5. Augmentez progressivement la durée des séparations

[1] Initiez progressivement l'enfant à son nouveau mode de garde. Passez du temps avec lui dans le nouvel environnement et avec la personne qui le gardera avant de le laisser tout seul. Cela permettra à l'enfant et aux utilisateurs de s'adapter à ce changement. Faites plusieurs visites rapides avec l'enfant à l'endroit où il sera gardé, avant de le laisser.

[2] Permettez à l'enfant d'explorer ce nouvel environnement et d'établir des liens avec la personne qui le gardera. Laissez-le découvrir les nouveaux jouets ou livres ou établir un contact avec cette personne, à sa manière. S'il semble réticent, prenez-le par la main ou restez à côté de lui et explorez les lieux ensemble. Dites à la personne qui assurera sa garde ce qui intéresse l'enfant, afin qu'ils puissent établir un lien.

[3] Parlez à l'enfant du changement qui se prépare. Mettez en avant les aspects positifs du nouveau cadre, comme les jouets ou les autres enfants.

[4] Organisez des rendez-vous avec un enfant qui fréquente la même crèche pour qu'ils puissent jouer ensemble.

[5] Pour commencer, laissez l'enfant tout seul pendant quelques minutes, tout en restant dans les locaux. Dites-lui que vous allez aux toilettes, ou que vous partez chercher quelque chose à boire, mais que vous revenez tout de suite. Dites-lui « à tout de suite », absentez-vous quelques minutes puis revenez. Laissez l'enfant prendre conscience de la séparation. Ensuite, quittez les lieux pour des périodes de plus en plus longues. Partez avec le sourire. Ne vous éclipsez jamais sur la pointe des pieds, et ne partez pas sans dire au revoir.

⚠ ***ATTENTION :*** *beaucoup d'enfants se mettent à pleurer lorsque leurs utilisateurs les confient à d'autres personnes. Il s'agit d'un programme pré-installé sur de nombreux modèles. Il faut une à trois semaines à l'enfant pour être totalement à l'aise dans son nouvel environnement.*

[**6**] Continuez à prolonger vos absences, pour arriver à une journée entière. Dites au revoir à l'enfant, et partez une heure, puis une demi-journée, et enfin une journée entière. S'il constate que vous partez, mais que vous revenez toujours, comme promis, la confiance de l'enfant sera activée.

[**7**] Montrez votre joie lors des retrouvailles, sans pour autant vous laisser submerger par l'émotion : l'enfant risquerait d'en conclure que vous avez du mal à vivre la séparation.

Surmonter l'angoisse de séparation

Les enfants qui affichent un désarroi marqué lorsqu'ils sont loin de leurs parents souffrent d'angoisse de séparation, un bug qui apparaît chez de nombreux modèles entre 18 et 24 mois, mais qui peut durer beaucoup plus longtemps. Le désarroi disparaît progressivement, lorsque l'enfant parvient à activer les fonctions d'auto-apaisement, de jeu et de compétences permettant de s'occuper tout seul.

Dans un premier temps, l'angoisse de séparation sera difficile à vivre, pour lui et pour vous, mais sa capacité à se reprogrammer pour affronter cette réalité sera fonction du comportement que vous affichez. Restez calme et compréhensif (« Je sais que c'est difficile de dire au revoir »), mais sans lui prodiguer une affection excessive. Mettez en place le changement de manière progressive, pour lui permettre de s'habituer à la séparation.

[1] Essayez de faire en sorte que l'enfant quitte la pièce dans laquelle vous vous trouvez. S'il est très accroché à vous ou s'il a tendance à vous suivre partout, demandez-lui d'aller « chercher » son jouet ou son objet préféré dans sa chambre ou dans la salle de jeux.

[2] Faites venir chez vous quelqu'un qu'il ne connaît pas. Demandez à une baby-sitter de venir le garder (personne inconnue, environnement connu) pendant que vous allez faire des courses ou que vous sortez avec un ami pendant une heure.

[3] Emmenez l'enfant voir quelqu'un qu'il connaît bien, dans un environnement moins familier. Laissez l'enfant chez ses grands-parents, des amis ou des membres de votre famille, pendant une heure.

[4] Respectez toujours le même rituel au moment de la séparation. Ces rituels peuvent aider l'enfant à surmonter l'angoisse associée aux transitions. De la même manière, ils lui permettront de s'adapter – dites-lui quand vous allez revenir, faites-lui un bisou, un câlin, un geste d'au revoir de la main et sortez.

CONSEIL D'EXPERT : *les problèmes persistant sur le long terme sont souvent le résultat de comportements acquis. Face à une séparation imminente, les enfants apprennent très vite à adopter un comportement qui incite les parents à rester plus longtemps, à revenir vite et à rendre les occasions de séparation moins fréquentes. Souvent, vos efforts pour « aider » l'enfant – bisous et câlins supplémentaires, paroles rassurantes – ne font que le conforter dans l'idée qu'il y a lieu de s'inquiéter. Ces efforts renforcent également les comportements à problèmes et empêchent l'enfant de mettre au point ses propres compétences pour s'apaiser et gérer la situation. Tenez-vous en à votre rituel au moment de la séparation, et veillez à ce que les au-revoir soient brefs et positifs.*

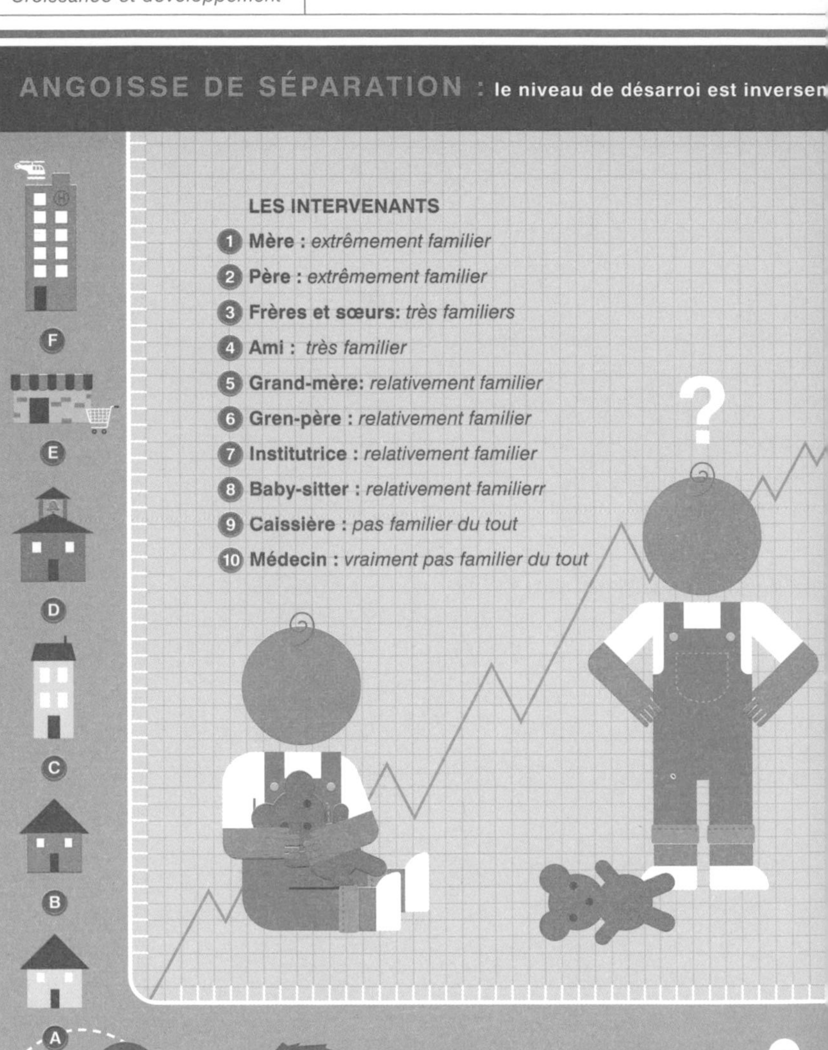
ANGOISSE DE SÉPARATION : le niveau de désarroi est inversen
LES INTERVENANTS
1 Mère : extrêmement familier
2 Père : extrêmement familier
3 Frères et sœurs: très familiers
4 Ami : très familier
5 Grand-mère: relativement familier
6 Gren-père : relativement familier
7 Institutrice : relativement familier
8 Baby-sitter : relativement familierr
9 Caissière : pas familier du tout
10 Médecin : vraiment pas familier du tout
F
E
D
C
B
A
?

A
1

2

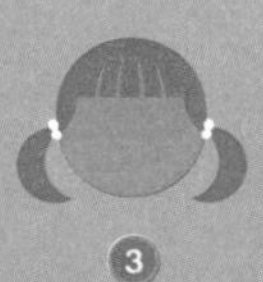
3

4

5

portionnel à la familiarité avec les intervenants et avec l'environnement.

L'ENVIRONNEMENT

- A **Maison :** *extrêmement familier*
- B **Maiosn d'un proche :** *très familier*
- C **Maison d'un ami :** *relativement familier*
- D **École / garderie :** *relativement familier*
- E **Supermarché :** *pas familier du tout*
- F **Cabinet médical :** *vraiment pas familier du tout*

6 7 8 9 10

Installer la fonction « je-m'occupe-tout-seul »

La fonction « je-m'occupe-tout-seul », très importante, est intéressante pour l'enfant et pour ses utilisateurs. Un enfant sur lequel cette fonction est activée a davantage de ressources et d'imagination que les autres et développe son autonomie. Du temps libre, sans activités prévues – et même une dose d'ennui – encourage le développement de compétences de gestion autonome du temps, dont l'enfant aura rapidement besoin. Si le caractère et la faculté de concentration varient considérablement d'un modèle à l'autre, tous les enfants peuvent apprendre à s'occuper tout seuls, si les compétences suivantes sont installées progressivement.

[1] Préparez plusieurs caisses contenant des jouets pour des activités faisant intervenir la créativité ou pour des jeux de rôles : puzzles, formes, cubes, crayons de couleur et papier, livres illustrés, poupées, maison de poupées et vêtements d'adultes pour se déguiser (chapeaux, chaussures, sacs à main, bijoux ou mallettes et portefeuilles). Assurez une rotation des différentes caisses ou ajoutez et retirez des jouets, pour conserver l'attrait de la nouveauté.

[2] Allez dans une pièce calme. Montrez à l'enfant la caisse de jouets « neufs » et commencez à jouer avec lui. Restez actif et près de lui.

[3] Au bout de quelques séances de jeu, devenez plus passif. Jouez moins et parlez moins, contentez-vous de regarder l'enfant jouer.

[4] Éloignez-vous progressivement, pour finir par vous installer sur une chaise, pour lire. Dans un premier temps, il est possible que l'enfant proteste, mais persistez : il sera de plus en plus à l'aise pour jouer seul. Levez les yeux

de temps en temps pour décrire le comportement de l'enfant et le féliciter, ou allez lui prodiguer des marques d'attention.

[5] Au cours des séances de jeu suivantes, commencez par vous absenter un court instant, lorsque l'enfant est totalement absorbé par le jeu. Trouvez une raison, comme « Je vais voir quelque chose » ou « Je reviens tout de suite ». Revenez au bout de quelques secondes pour féliciter l'enfant d'avoir joué sagement et lui prodiguer de l'affection. Prolongez progressivement vos absences, pour le laisser jouer tout seul, mais revenez toujours pour lui donner de l'attention positive, en félicitant l'enfant et en ayant un contact physique avec lui. À terme, vous pourrez aller et venir sans que l'enfant ne remarque quoi que ce soit.

⚠ ***ATTENTION :*** *ce n'est pas parce que l'enfant sait s'occuper tout seul que vous pouvez cesser de le surveiller.*

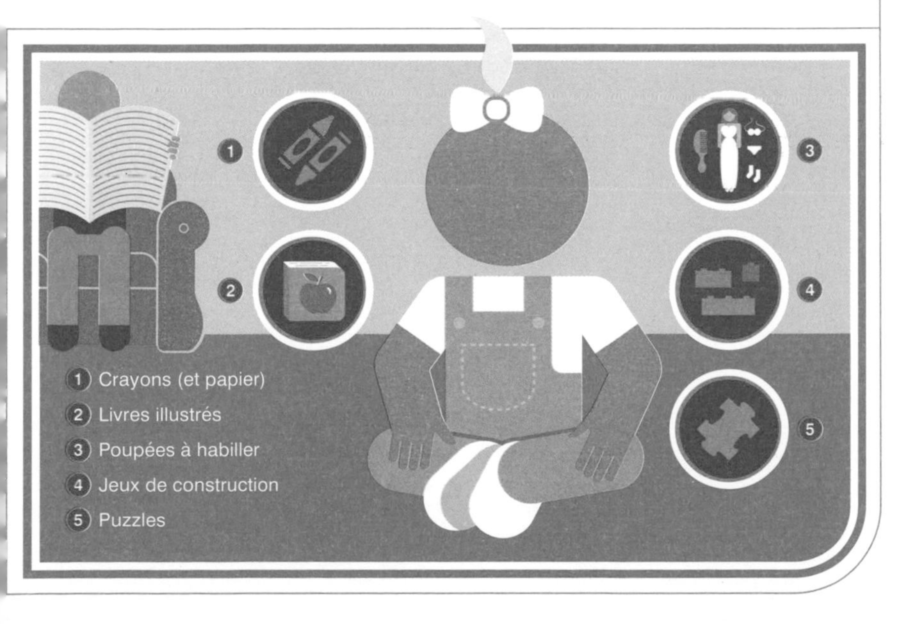

Désinstallation des objets transitionnels

Des comportements classiques, comme le fait de sucer le pouce ou un doigt, ou un attachement fort à des objets ne sont généralement pas préjudiciables à l'enfant, sur le plan physique ou émotionnel. Toutefois, si l'usage que l'enfant fait de son objet transitionnel vous préoccupe, voici une méthode permettant de l'en détacher.

[1] Commencez par limiter l'usage de l'objet transitionnel à certains lieux, comme la maison ou la voiture (avec une exception bien sûr si l'enfant va passer la nuit ailleurs). Ne laissez pas l'enfant emporter l'objet transitionnel dans des lieux publics.

[2] Ensuite, restreignez l'utilisation de l'objet transitionnel aux moments de sommeil (la nuit et la sieste). Mettez l'objet hors de portée jusqu'au moment de calme avant le coucher. Pour beaucoup d'enfants, mieux vaut ne pas pousser plus loin le processus. Après tout, il n'y a peut-être pas de raison d'éliminer l'objet transitionnel de l'espace privé de l'enfant (chambre à coucher) et des périodes de sommeil. Si cet objet est restreint à l'espace privé, l'enfant ne risque pas d'être stigmatisé sur le plan social (moqueries) et la durée de l'utilisation et l'impact sur les dents et le visage de l'enfant est réduit (pour les périphériques à téter).

[3] Pour supprimer totalement l'utilisation de l'objet, réduisez progressivement sa taille, pour réduire le plaisir qu'il procure. Coupez des morceaux du lange ou découpez la pointe de la tétine (pour les modèles en un seul morceau uniquement). L'enfant remarquera l'opération et protestera, mais il est possible qu'il se désintéresse de l'objet, jugé défectueux, et le jette de lui-même.

Enfant qui suce son pouce ou son doigt

Les pouces et les doigts feront l'objet d'un traitement distinct. À l'inverse du lange et de la tétine, ils ne peuvent être raccourcis ! Par conséquent, leur utilisation peut être plus difficile à faire cesser. Ne pressez pas l'enfant pour qu'il arrête de sucer son pouce. Se fâcher, gronder l'enfant ou arracher son pouce de sa bouche ne ferait qu'accroître son envie de téter.

Pour les jeunes enfants, la meilleure solution est d'ignorer ce comportement. Félicitez l'enfant lorsqu'il ne suce pas son pouce, surtout dans les situations où il a généralement tendance à le faire. Il est fort possible que cette habitude lui passe tout seul.

Pour les enfants plus âgés qui ont envie d'arrêter, des pense-bêtes, comme des signes de la main secrets, peuvent servir à lui faire prendre conscience qu'il est en train de sucer son pouce, sans que l'entourage ne le remarque. De la même manière, un pansement sur le pouce peut servir de rappel. Des objets qui occupent les mains ou un chewing-gum peuvent être utiles pendant la période de « sevrage », à risque.

Si une approche plus interventionniste s'impose, achetez un liquide au goût amer, vendu en pharmacie. Mettez-en sur le pouce ou sur les doigts au réveil le matin, puis à chaque fois que vous voyez l'enfant les doigts dans la bouche, et puis à nouveau avant d'aller au lit. Mettez en place un programme prévoyant des petites récompenses pour de courtes périodes sans pouce (par exemple 3 ou 4 fois par jour, surtout dans les situations à haut risque). Utilisée de manière systématique, l'association du produit amer et des récompenses est une stratégie efficace qui a fait ses preuves.

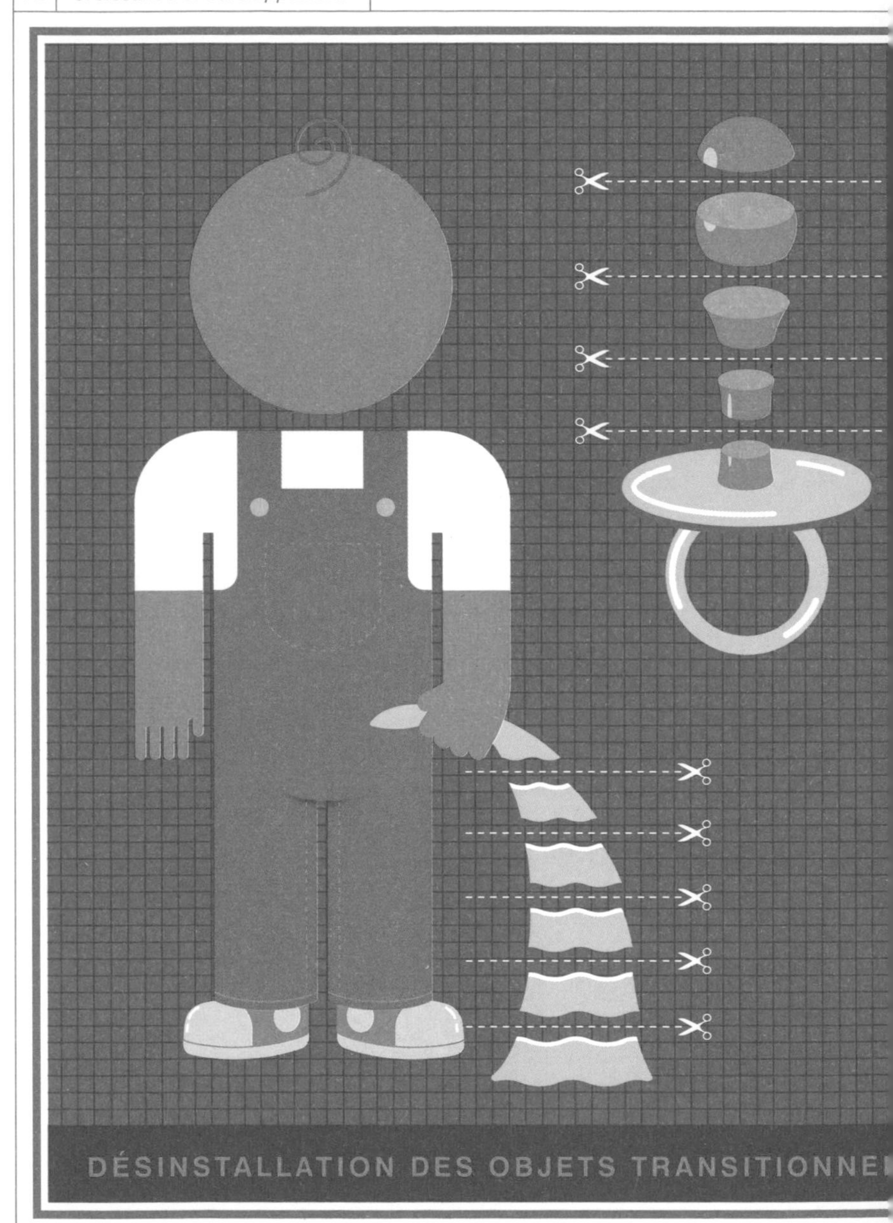
DÉSINSTALLATION DES OBJETS TRANSITIONNE

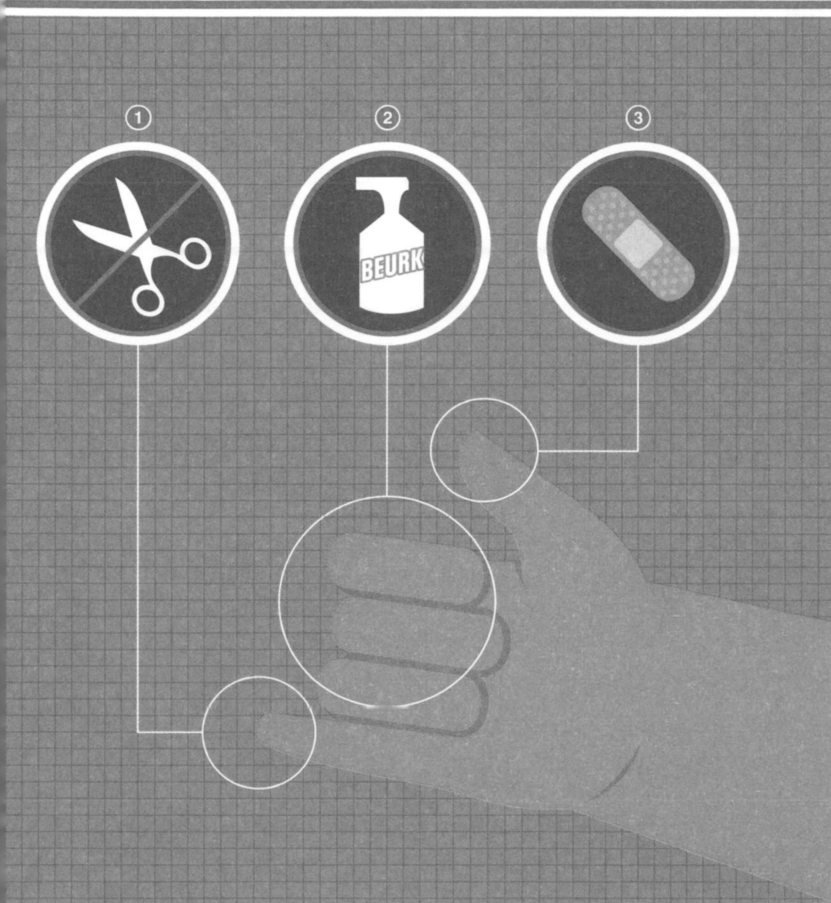

CONSEILS DE DÉSINSTALLATION

① Ne coupez pas les doigts de votre modèle !

② Utilisez un vernis amer pour décourager l'enfant de porter ses doigts à la bouche.

③ Un pansement peut aussi empêcher l'enfant de sucer son pouce.

Préparer l'enfant à la livraison d'une deuxième unité

L'arrivée d'un nouveau bébé représente un changement important pour toute la famille. Dans un premier temps, l'enfant sera sans doute enchanté d'être grand frère ou grande sœur, mais il est possible que cet enthousiasme s'estompe lorsqu'il se rend compte que le nouvel arrivant lui fait de la concurrence.

L'enfant va-t-il accepter l'installation de la nouvelle unité ? Quantité de facteurs interviennent : l'âge de l'enfant (s'il est plus âgé, il l'acceptera sans doute mieux), son caractère (ceux qui ont du mal à s'adapter aux changements et qui réagissent de manière intense pourront afficher un comportement plus difficile), la qualité des relations avec les parents (des liens particulièrement étroits avec l'utilisatrice peut amener des difficultés d'adaptation plus importantes), des problèmes de comportement préexistants et la situation émotionnelle des deux parents.

Parmi les réactions positives courantes que l'enfant affiche lors de la livraison d'une nouvelle unité, on compte un gain en maturité et en autonomie, et un accroissement de l'empathie et de l'intérêt pour autrui. Parmi les réactions négatives à court terme, il peut y avoir des manifestations accrues de colère, d'agressivité ou de ressentiment, une angoisse de séparation (voir p. 138) ou un enfant « collant » à ses parents, et des comportements régressifs, comme des troubles du sommeil ou de la gestion des déchets, et l'envie d'être tenu dans les bras ou de prendre un biberon. Fort heureusement, ces comportements s'estompent généralement au bout de trois ou quatre mois. De plus, une période d'adaptation difficile ne signifie pas forcément que les enfants ne s'entendront pas plus tard.

Les conseils suivants favoriseront une adaptation en douceur, avec une bonne mise en réseau de l'enfant et de la nouvelle unité.

[1] Avant la livraison, expliquez à l'enfant qu'une nouvelle unité va arriver dans la famille. Vous pouvez commencer à lui en parler lorsque les signes de grossesse deviennent visibles sur l'utilisatrice. Certains parents préfèrent attendre le troisième trimestre, pour que l'attente soit moins longue pour l'enfant. Fournissez-lui des explications de base sur les bébés et la naissance, et commencez à le préparer à petites doses, sur plusieurs semaines.

[2] Intégrez l'enfant dans la préparation de la livraison de la nouvelle unité : choix des vêtements, des jouets et des accessoires, décoration de la chambre.

[3] Efforcez-vous, dans la mesure du possible, de ne pas bouleverser la vie de l'enfant. Les changements importants, comme un déménagement, un changement d'école maternelle devront être effectués bien avant la livraison de la nouvelle unité. Si l'enfant n'est pas encore passé en mode gestion autonome des déchets bien avant la livraison de la nouvelle unité, reportez l'installation de ce programme, jusqu'à ce que la famille ait pris son rythme.

[4] Les utilisateurs masculins s'efforceront d'accroître leur implication et leur rôle dans les soins à l'enfant (jeux, habillage, repas, bains). Cela limitera le nombre de bouleversements importants et contribuera à réduire les changements dans la vie de l'enfant après la livraison de la nouvelle unité.

[5] Organisez à l'avance la garde de l'enfant, chez un membre de la famille ou chez quelqu'un que l'enfant connaît bien, pendant la période où la maman sera à la maternité. Prévoyez que l'enfant puisse téléphoner à sa mère et lui rendre de brèves visites à la maternité, pour voir sa maman et la nouvelle unité.

[6] Lors de l'arrivée du bébé à la maison, l'utilisatrice s'efforcera de consacrer son attention à l'enfant, pendant que d'autres personnes s'occuperont du

bébé. Achetez un petit cadeau pour l'enfant, que vous lui offrirez de la part de la nouvelle unité. Intégrez l'enfant aux photos que vous prenez du bébé.

[7] Associez l'enfant aux soins du bébé, en lui demandant de temps en temps de vous apporter des couches, le biberon, etc. En général, les enfants adorent se rendre utiles : encouragez-les à le faire. En revanche, ne lui en demandez pas trop non plus : il risquerait d'en vouloir au bébé. Si l'enfant est hypermotivé et s'il a envie de vous aider pour tout, encouragez-le à prodiguer ces soins à sa poupée préférée.

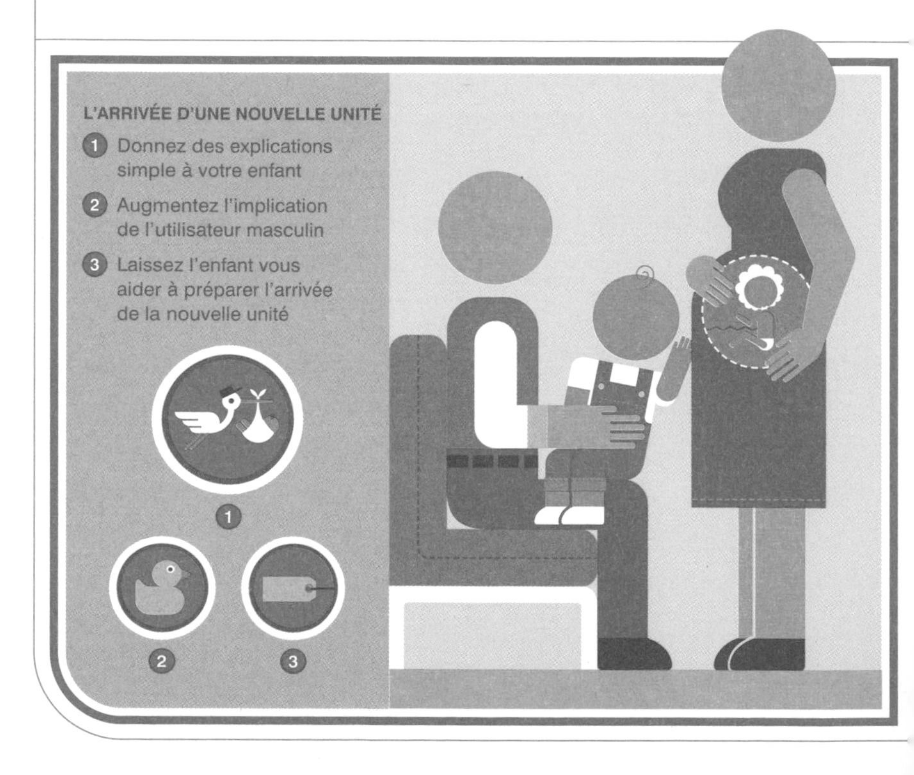

L'ARRIVÉE D'UNE NOUVELLE UNITÉ
1 Donnez des explications simple à votre enfant
2 Augmentez l'implication de l'utilisateur masculin
3 Laissez l'enfant vous aider à préparer l'arrivée de la nouvelle unité
1
2
3

[8] Prévoyez des moments ou des événements spéciaux, à intervalles réguliers, où l'enfant pourra bénéficier de l'attention exclusive de ses parents. Après leur première mise en service, les unités dorment généralement 16 heures par jour. Passez une partie de ce temps à jouer avec l'enfant.

[9] Au lieu de punir l'enfant qui affiche un comportement régressif ou de lui interdire de se comporter ainsi, mettez en avant son statut privilégié de grand frère ou de grande sœur, et soulignez tous les avantages associés au fait d'être grand : pouvoir manger des glaces, faire du toboggan, etc.

[10] Fixez quelques règles de base sur la manipulation de la nouvelle unité. Par exemple, dites à l'enfant qu'il doit demander la permission avant de prendre le bébé dans ses bras ou de lui donner un jouet ou quelque chose à manger, et expliquez-lui qu'il ne faut jamais couvrir la tête du bébé.

[11] Félicitez l'enfant lorsqu'il s'occupe bien et gentiment du bébé.

[12] Réagissez immédiatement si l'enfant manifeste de l'agressivité face au bébé. Ces comportements ne sont pas rares et ils ne sont pas toujours intentionnels (il peut s'agir d'une tentative un peu trop enthousiaste de faire un câlin au bébé ou de l'embrasser) : toutefois, il est important de fixer des limites claires et d'imposer une sanction, comme un bref temps mort (voir p. 161).

[13] N'abaissez pas le niveau de vos attentes sur le plan du comportement pendant cette période. Soyez compréhensif (cette phase d'adaptation n'est pas facile), mais ne tolérez pas de mauvais comportements.

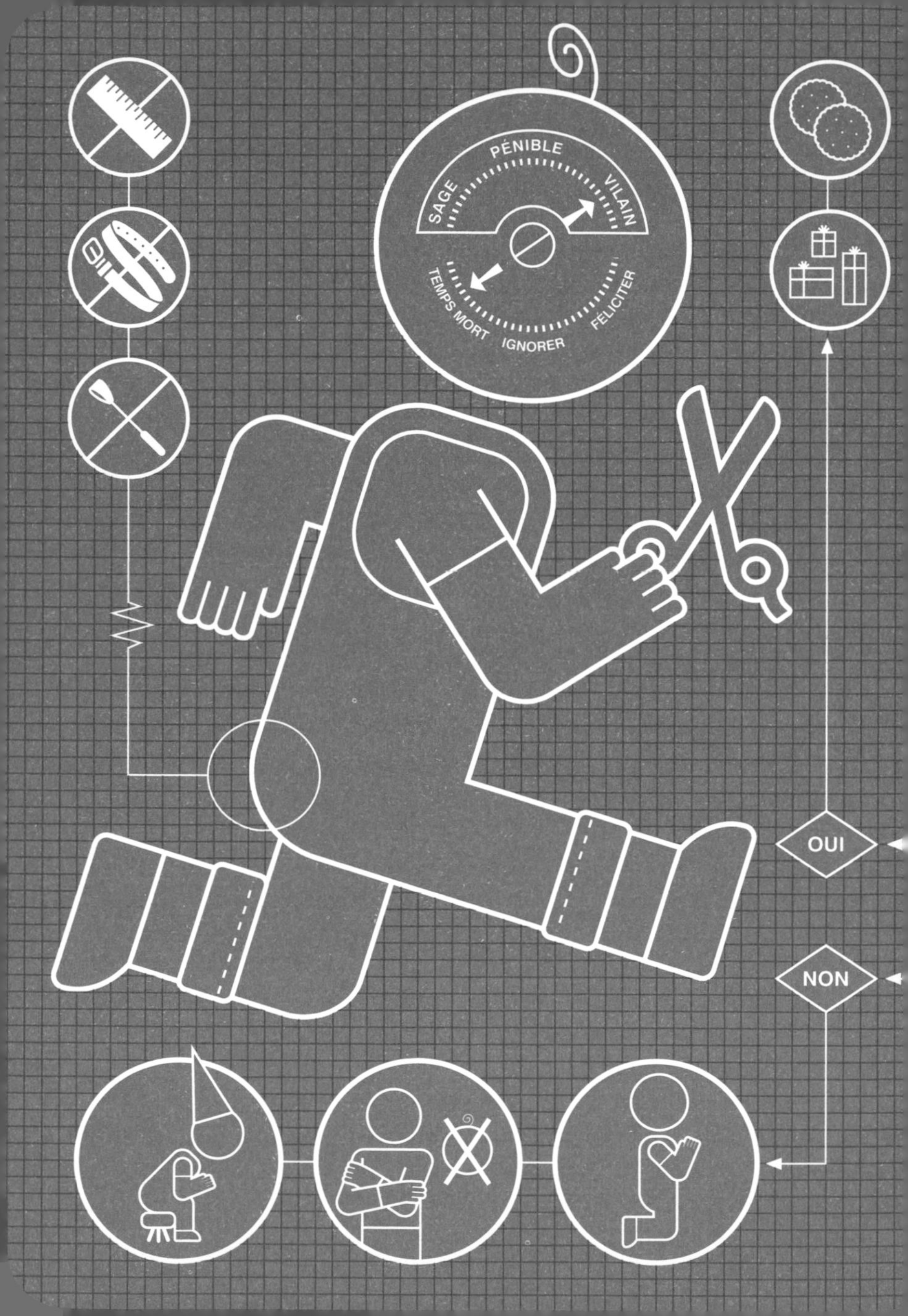
PÉNIBLE
SAGE
VILAIN
TEMPS MORT
IGNORER
FÉLICITER
OUI
NON

[Chapitre 7]

Discipline

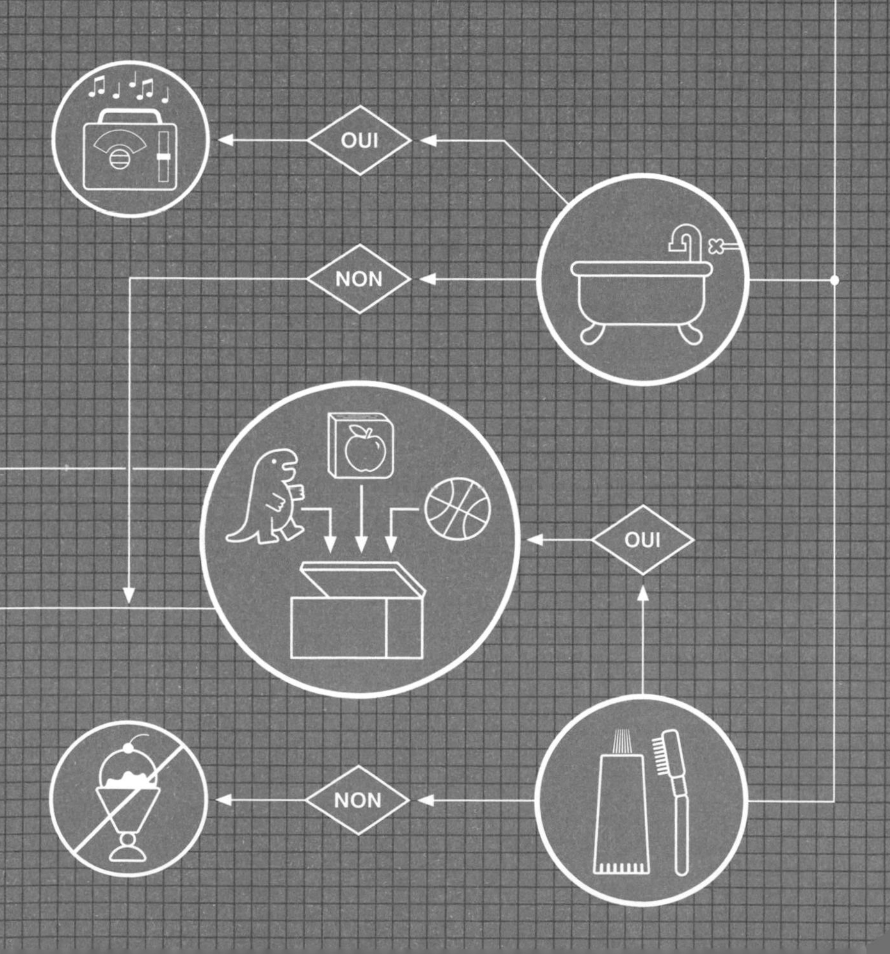

Mettre à jour les protocoles comportementaux de l'enfant

Pour la plupart des utilisateurs, le terme de « discipline » évoque des punitions destinées à faire disparaître des comportements indésirables. En réalité, ce terme renvoie à un système d'enseignement et de mise à jour du programme comportemental de l'enfant.

L'enfant est livré avec une volonté de fer pré-installée. Par conséquent, il est important de bien choisir ses batailles, et de rester ferme mais positif. Votre attitude apprendra à l'enfant à se conformer aux règles et aux attentes de la société. L'apprentissage des comportements appropriés renforcera son estime de soi et son sentiment de sécurité, et le préparera à faire des apprentissages et à se sociabiliser.

Appliquez les conseils généraux suivants pour installer des programmes comportementaux avancés.

- ***Mettez en place une journée type.*** Divisez la journée en matin, après-midi et soir, puis choisissez des activités à accomplir durant ces périodes. Instaurez des horaires fixes pour les repas et le sommeil afin que l'horloge interne de l'enfant puisse s'y adapter.
- ***Fixez-vous des objectifs raisonnables, mais prévoyez aussi des périodes moins structurées pendant la journée.*** Les tâches à accomplir seront de préférence organisées de la plus difficile à la plus facile, ou de la moins drôle à la plus drôle, pour que l'enfant reste motivé. Par exemple, dites-lui qu'il fera de la balançoire une fois qu'il aura mis ses vêtements dans le panier à linge.
- ***Évitez de demander des choses trop difficiles à l'enfant quand il est malade, fatigué, stressé, quand il s'ennuie ou quand il est dans une situation inhabituelle***.
- ***Anticipez les problèmes éventuels.*** En sécurisant la maison (voir p. 180), vous éliminerez quantité de tentations dangereuses qui vous obligeraient à

gronder l'enfant en permanence. Évitez les situations qui poseront problème à coup sûr, comme par exemple d'aller manger au restaurant avec un enfant qui ne tient pas encore en place durant tout un repas à la maison.

- ***Montrez l'exemple en matière de comportement.*** L'enfant est livré équipé d'un système sensoriel totalement opérationnel, qui détecte tous les comportements de son entourage et cherche à les reproduire, surtout ceux de ses utilisateurs principaux. Un parent peut répéter à longueur de journée à l'enfant de ne pas se disputer avec ses frères et sœurs, si celui-ci voit régulièrement ses parents se chamailler, il y a peu de chances qu'il s'entende à merveille avec sa fratrie…
- ***N'affichez pas les comportements contre lesquels vous luttez.*** Par exemple, ne criez pas pour faire cesser les cris de votre enfant. Il serait perturbé parce qu'il voit et ne comprendrait pas le message – en fait, en agissant ainsi, vous renforceriez même le mauvais comportement.
- ***Soyez ferme.*** Les enfants ont besoin d'apprendre à suivre les règles et les ordres émanant de personnes incarnant l'autorité. Une bonne solution consiste à donner des choix à l'enfant, s'il existe vraiment une alternative. Toutefois, dans certains cas, c'est à l'adulte de décider.
- ***Optez pour la sanction immédiate.*** La durée de la punition est moins importante que son immédiateté et son impact. Si vous avez le choix entre priver l'enfant d'un jouet pendant 3 semaines (impact faible, durée longue), ou interdire l'accès à tous les jouets pendant 2 minutes, choisissez la seconde possibilité. De la même manière, l'enfant apprendra plus vite si vous imposez 10 « temps morts » (voir p. 161) d'1 minute chacun plutôt qu'un seul de 10 minutes.
- ***Restez calme.*** Maîtrisez vos émotions pour que la punition soit efficace. Les enfants s'épanouissent dans la stimulation. S'ils parviennent à créer de l'excitation en se comportant mal, ils le feront. Mieux vaut manifester de l'excitation et des émotions lorsque l'enfant se comporte bien. Lorsqu'il se tient mal, ne dites rien et détournez-vous de lui – sauf bien sûr s'il est en danger.

Stratégies spécifiques pour l'installation de la discipline

Tous les modèles exigent une reprogrammation plus ou moins poussée pour éliminer certains bugs comportementaux. Le chapitre qui suit présente différentes approches ayant fait leurs preuves lorsqu'elles sont utilisées en association les unes avec les autres.

Quelles que soient les approches retenues, il est important de les utiliser de manière cohérente pour envoyer un message clair à l'enfant. Avant de commencer l'installation du programme, discutez des stratégies à mettre en œuvre avec tous les autres utilisateurs de l'enfant, pour identifier des problèmes de comportement, et pour vous entendre sur les méthodes à utiliser. L'enfant apprendra plus vite si la punition suit immédiatement son mauvais comportement et si elle change clairement sa situation habituelle. Toutefois, même avec des punitions immédiates qui changent la situation de l'enfant, la plupart d'entre eux ont besoin de l'application répétée de la procédure pour apprendre un comportement approprié.

CONSEIL D'EXPERT : *les raisonnements, les mises en garde et les longs exposés sur les causes et les conséquences, ou sur les sanctions à venir sont des abstractions trop difficiles à comprendre pour un jeune enfant. Un enfant a besoin que ses parents prennent des décisions et agissent. À terme, après de nombreuses situations où les mots ont été associés à des actions cohérentes, l'enfant finira par réagir aux paroles seules.*

Attention différenciée

L'attention différenciée est une stratégie ciblée et hautement efficace consistant à ignorer les comportements désagréables que vous désapprouvez

et à accorder de l'attention à l'enfant qui se comporte bien. Des parents bien entraînés peuvent afficher des aptitudes étonnantes à changer souvent d'attitude, accordant de l'attention à leur enfant puis se désintéressant de lui l'instant d'après.

[**1**] Identifiez un comportement que vous aimeriez voir l'enfant adopter plus souvent. Approchez-vous de lui, décrivez son bon comportement et félicitez-le. Imitez-le (n'ayez pas peur d'en faire trop ou d'être ridicule). Manifestez-lui votre affection, riez et montrez votre excitation.

[**2**] Identifiez un comportement que vous aimeriez voir cesser. Lorsque l'enfant adopte ce comportement, cessez aussitôt de vous occuper de lui et ignorez-le (Fig. A). Détournez votre regard, cessez de lui parler, éloignez-vous de lui si nécessaire. Ne lui accordez aucune attention, positive ou négative.

CONSEIL D'EXPERT : *dans un premier temps, l'enfant se dira peut-être qu'il n'a pas affiché le mauvais comportement assez vite, assez fort ou assez longtemps pour que vous le remarquiez. Il se peut donc qu'il redouble d'ardeur : cela signifie qu'il a remarqué votre réaction et que votre stratégie fonctionne.*

[**3**] Constatant que ses efforts pour attirer votre attention ne portent pas leurs fruits, il essayera une stratégie différente. Si cette approche est exaspérante ou dérangeante, continuez à l'ignorer activement. Il finira par changer de stratégie et par se comporter correctement pour obtenir à nouveau votre attention. Lorsque ce changement salvateur survient, consacrez-lui à nouveau toute votre attention, dès qu'il affiche un bon comportement (Fig. B).

[**4**] Répétez cette méthode aussi souvent que nécessaire.

INSTALLATION DE LA DISCIPLINE

(Fig. A)

IGNOREZ LE MODÈLE EN CAS DE DYSFONCTIONNEMENT

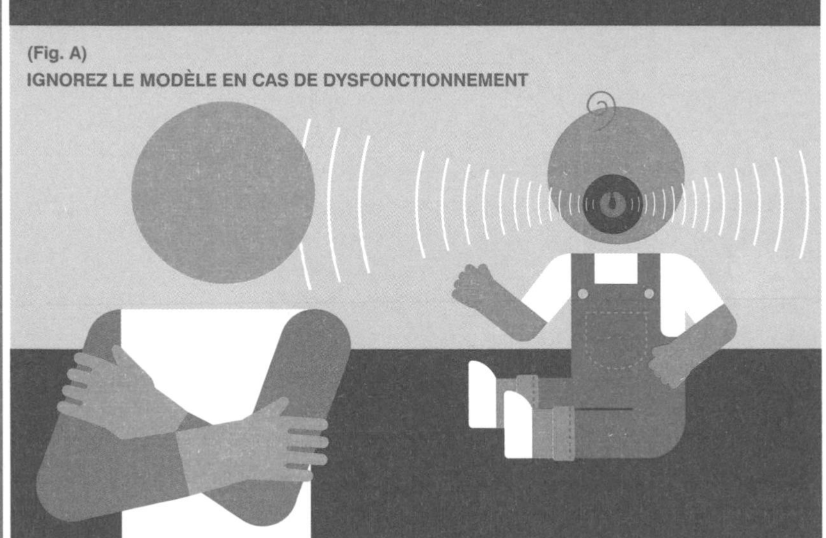

(Fig. B)

INTÉRESSEZ-VOUS À LUI QUAND LE DYSFONCTIONNEMENT CESSE

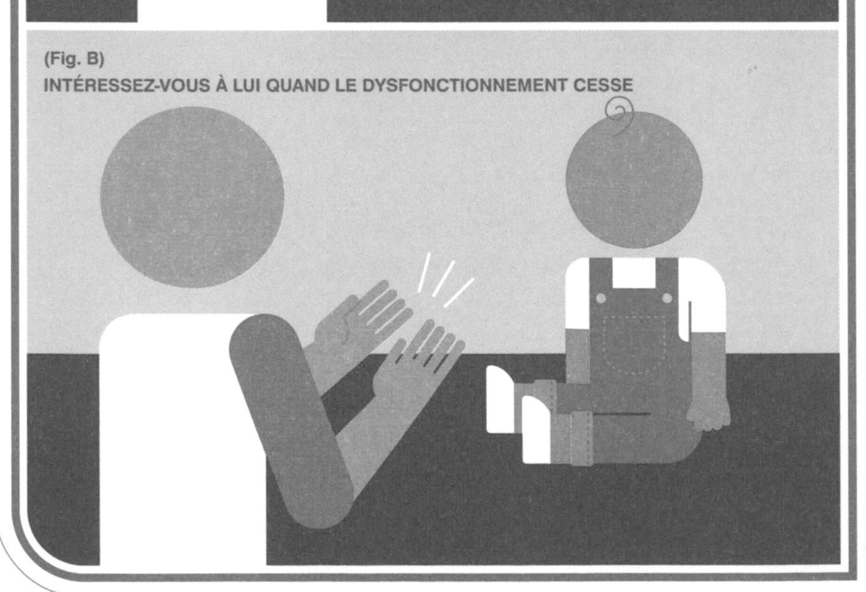

Avertissement verbal

Donnez un avertissement verbal à l'enfant à l'aide d'une phrase simple du type « si ceci alors cela », qui décrit à l'enfant ce qui se passera s'il ne change pas de comportement. Par exemple : « Si tu cries à nouveau, tu devras aller dans ta chambre ». Si l'enfant crie encore, il vous faudra faire ce que vous avez annoncé : ne proférez donc pas des menaces que vous n'êtes pas prêt à mettre à exécution. Si l'enfant cesse de crier, donnez-lui aussitôt un retour positif, en le félicitant.

Incitations au comportement positif

Évitez de dire en permanence « non », « ne fais pas ceci » ou « arrête de faire cela » à l'enfant. Incitez-le plutôt à avoir un comportement positif en lui disant ce que vous souhaitez qu'il fasse. Vous réduirez les interactions négatives entre vous et augmenterez les interactions positives, parce que vous pourrez le féliciter une fois qu'il aura obtempéré.

Un enfant suit plus volontiers une consigne formulée de manière positive (« Parle moins fort, s'il te plaît », au lieu de « Arrête de crier ! »). Voici quelques exemples de phrases simples fournissant des alternatives positives à des comportements irritants ou désagréables.

NE DITES PAS	DITES PLUTÔT
« Ne cours pas dans l'entrée »	« Marche, s'il te plaît »
« Arrête de faire des bulles avec ta paille. »	« S'il te plaît, utilise utilise ta paille pour boire. »
« On ne saute pas sur le lit ! »	« Descends du lit, s'il te plaît »
« Arrête de courir devant moi. »	« Reste à côté de moi. »

« Recommence ! » ou « répare ! »

Variante de l'incitation au bon comportement, cette méthode va un pas plus loin, en demandant à l'enfant de corriger (« recommence ! ») ou de rattraper (« répare ! ») les dommages liés au mauvais comportement. Dites par exemple : « Essuie le lait que tu as renversé » ou « Excuse-toi ».

Cette stratégie est particulièrement utile si l'enfant exécute avec précipitation ou de travers une tâche que vous lui avez demandée (« Oups, reviens s'il te plaît et recommence plus doucement ») ou s'il n'adopte pas la bonne attitude (« recommence s'il te plaît, mais plus doucement/silencieusement/gentiment »). Sans entrer dans un rapport de force, cette méthode transmet un message très simple à l'enfant : « Fais-le correctement la première fois et tu n'auras pas besoin de recommencer ».

Confiscation de l'objet du délit

Il s'agit d'une méthode disciplinaire toute simple, sous-exploitée. Si l'enfant fait une utilisation dérangeante d'un jouet ou d'un objet et si vous avez besoin d'une réaction plus immédiate que l'attention différenciée, confisquez-le lui. Pour plus d'efficacité, faites précéder cette réaction d'un avertissement.

Par exemple, si l'enfant fait des bulles dans son verre de lait avec sa paille, commencez par dire : « S'il te plaît, utilise ta paille pour boire uniquement ». S'il continue à faire des bulles, retirez-lui la paille. Cela suscitera peut-être des cris, des gémissements ou des pleurs. Restez calme et ignorez la crise. Une fois que l'enfant est calmé et qu'il recommence à manger calmement, rendez-lui la paille et dites à nouveau : « S'il te plaît, sers-toi de ta paille pour boire uniquement ». Si l'enfant obtempère, félicitez-le et cajolez-le. S'il recommence à faire des bulles, appliquez la même méthode, depuis le début.

Temps mort

Le « temps mort » consiste à extraire l'enfant de l'environnement agréable dans lequel il se trouve. Par conséquent, pour que cette méthode porte ses fruits, il faut que l'environnement de l'enfant soit agréable. Le contraste entre l'environnement stimulant et le temps mort est déterminant pour le succès de l'opération. Les temps morts sont les plus efficaces lorsque l'enfant s'amuse, par exemple lorsqu'il joue dehors, avec de nouveaux jouets ou avec des amis. D'autres situations s'y prêtent moins, comme par exemple lorsque l'enfant assiste à un cours ou qu'on lui demande de rester seul dans une pièce calme et sombre, au coucher.

Le temps mort est la technique de modification comportementale la mieux documentée. Au dire des parents, elle fonctionne beaucoup mieux que les discours, les explications, les avertissements, les menaces, les cris et les fessées. Malheureusement, cette technique peut se révéler difficile à appliquer pour les parents, et difficile à accepter pour certains enfants. Les conseils suivants vous aideront à la mettre en œuvre. Si vous constatez, au bout de quelques semaines d'utilisation, que l'enfant ne réagit toujours pas, il sera peut-être bon de consulter un chargé de maintenance spécialiste du comportement.

[**1**] Créez un environnement agréable, ludique et stimulant.

[**2**] En cas de mauvais comportement, ne criez pas, ne tenez pas de longs discours et ne manifestez pas de colère. Signifiez calmement, en quelques mots, à l'enfant l'infraction qu'il vient de commettre et indiquez-lui la sanction correspondante (par exemple : « On ne tape pas, temps mort. »).

[**3**] Sortez immédiatement l'enfant de son environnement agréable en le conduisant à l'endroit où se déroule le temps mort, par exemple une chaise pla-

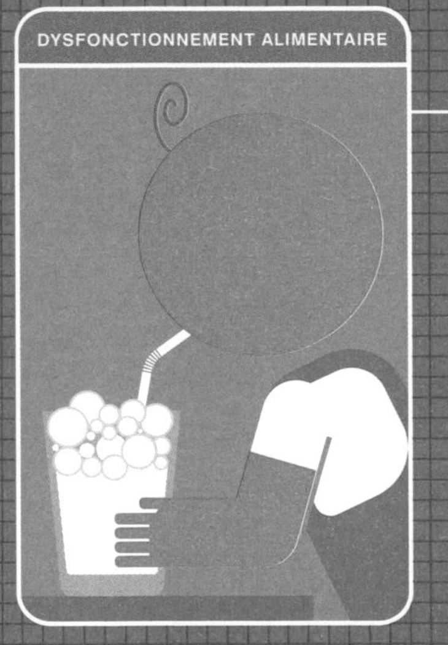

TEMPS MORT : cette méthode très efficace consiste à extraire le mo

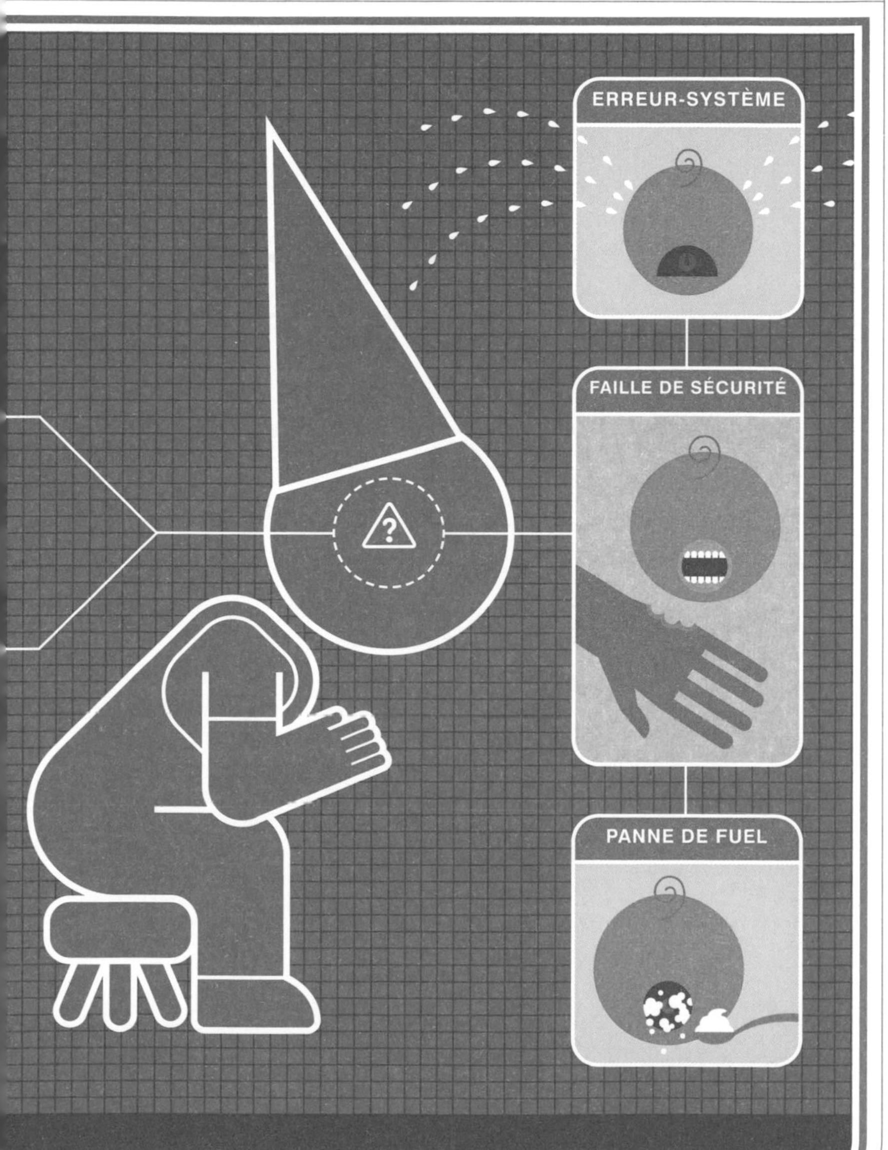

n environnement agréable en cas d'infraction

cée à un endroit sûr mais ennuyeux. S'il ne vous suit pas de son plein gré pour y aller, conduisez-le. Cet endroit doit se trouver loin de tout divertissement : pas de téléviseur, ni de radio ou de jouets. Pour les jeunes enfants qui ne peuvent pas encore s'asseoir sur une chaise ou qui refusent d'y rester, un parc portable ou un lit à barreaux sans jouets ni distractions pourra être utilisé.

[**4**] Pendant que l'enfant effectue son temps mort, ne le regardez pas, ne lui parlez pas et n'ayez aucune interaction avec lui. Le temps mort doit être dépourvu de toute stimulation.

CONSEIL D'EXPERT : *pour accroître les chances de réussite, les premiers temps morts devront être très courts. Augmentez progressivement leur durée, pour atteindre 1 minute par année d'âge.*

[**5**] Une fois que le temps prévu est écoulé, l'enfant doit faire 3 secondes de silence avant d'avoir le droit de revenir.

[**6**] Si l'enfant a effectué un temps mort parce qu'il refusait de faire ce que vous lui demandiez, répétez la consigne. Par exemple, approchez-vous de l'enfant installé sur sa chaise et dites : « Bien, tu es calme. Tu peux revenir. S'il te plaît, va ranger tes cubes ».

[**7**] Autorisez-le à reprendre son activité.

La fessée

Une fessée consiste à taper sur les fesses de l'enfant avec la main ouverte. Cette mesure disciplinaire est la plus efficace lorsqu'elle est une réaction planifiée à un comportement problématique persistant, que d'autres mesures disciplinaires n'ont pas réussi à faire passer. Il ne faut en aucun cas y recourir lorsque le parent est en colère ou qu'il ne se maîtrise plus. Bien que la fessée n'ait plus bonne presse, beaucoup de parents continuent à y recourir pour certains mauvais comportements. Cette punition est mieux acceptée socialement lorsqu'elle sanctionne un comportement dangereux (comme traverser la rue en courant) ou pour obliger un enfant à accomplir une autre sanction, comme un temps mort.

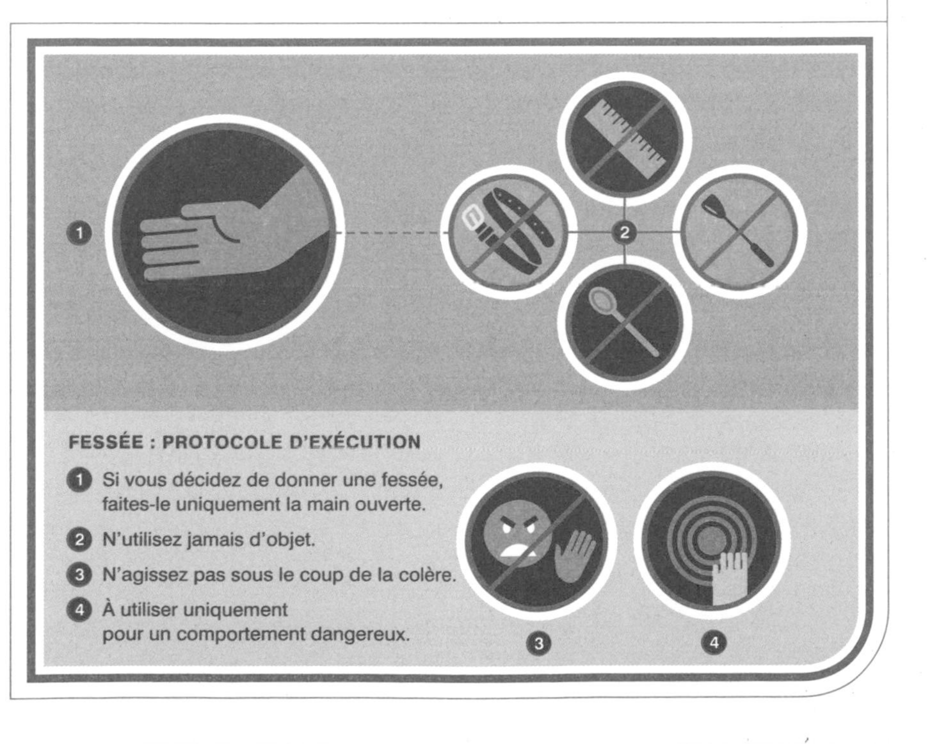

1
2
FESSÉE : PROTOCOLE D'EXÉCUTION
1 Si vous décidez de donner une fessée, faites-le uniquement la main ouverte.
2 N'utilisez jamais d'objet.
3 N'agissez pas sous le coup de la colère.
4 À utiliser uniquement pour un comportement dangereux.
3
4

Conseils de dépannage : bugs comportementaux et mesures disciplinaires

Pour choisir une mesure disciplinaire adaptée à un mauvais comportement de l'enfant, déterminez si ce comportement est dangereux, destructeur ou nocif au point de risquer d'endommager l'enfant, un tiers, un autre être vivant ou un objet de valeur.

Si la réponse est « oui », il s'agit d'un comportement de catégorie A, qui exige une intervention parentale immédiate. Voir des exemples spécifiques de comportements et de mesures disciplinaires de catégorie A, p. 167-168.

Si la réponse est « non », il s'agit d'un comportement de catégorie B. Les options qui s'offrent à vous sont plus nombreuses et exigent une réaction moins énergique. Ces méthodes sont plus longues à influer sur le comportement, mais elles n'exigent pas le recours à la force et minimisent le risque d'affrontement. Voir des exemples spécifiques de comportements et de mesures disciplinaires de catégorie B, p. 169-170.

⚠ ***ATTENTION :*** *si l'enfant n'a pas encore appris à accepter des sanctions ou à se calmer tout seul, il se peut que vous assistiez à une escalade de comportement, qui passe de la catégorie B à la catégorie A, devenant éventuellement dangereux ou destructeur.*

Comportements de catégorie A

Comportement
MORSURE

Réaction appropriée: réagissez immédiatement et calmement. Imposez un temps mort à l'enfant, à un endroit où il pourra vous voir pratiquer les soins (nettoyer la blessure, appliquer de la glace ou un tissu froid) et cajoler l'enfant mordu. Une fois qu'il aura effectué son temps mort, l'agresseur devra s'excuser. Quand les choses seront revenues à la normale, réfléchissez à ce que vous pouvez faire pour éviter que cet incident ne se reproduise. Les enfants mordent souvent parce qu'ils sont fatigués, jaloux, frustrés, parce qu'ils ont faim, qu'ils cherchent à attirer l'attention ou parce qu'ils n'arrivent pas à trouver d'autres moyens d'exprimer des émotions négatives.

CONSEIL D'EXPERT: *l'enfant commence souvent à mordre de manière tout à fait innocente, lorsqu'il fait ses dents ou lorsqu'il se sert de sa bouche pour explorer l'épaule d'un parent. En raison de la réponse verbale immédiate (« Ouille! ») qu'elle suscite, la morsure devient un comportement très intéressant. Avec le temps, elle peut devenir un outil efficace pour empêcher d'autres enfants d'empiéter sur son espace ou sur ses jouets. L'enfant apprend, souvent en se faisant mordre lui-même, qu'il s'agit d'un moyen rapide et efficace d'influer sur le comportement des autres enfants.*

Comportement

DONNER DES COUPS DE PIEDS, TAPER, POUSSER, JETER DES JOUETS

Réaction appropriée : temps mort immédiat. Dites « Interdit de taper. Temps mort ! ». Dès qu'il a fini son temps mort, l'enfant doit s'excuser auprès de celui qu'il a tapé, poussé ou à qui il a donné un coup de pied. Si le comportement agressif persiste, imposez-lui un nouveau temps mort.

Comportement

LANCER DE LA NOURRITURE

Réaction appropriée : temps mort immédiat. Une solution consiste à écarter la chaise de la table ou à détourner la chaise haute pour qu'elle ne soit plus face à la table. Une fois que l'enfant s'est calmé, demandez-lui de ramasser la nourriture et de revenir à table.

Si l'enfant continue à jeter de la nourriture par terre, vous pouvez débarrasser son assiette et décréter que le repas est terminé. Veillez à limiter ou à interdire tout en-cas pour que l'enfant ait faim au repas suivant. Pour en savoir davantage, voir chapitre 3 : Alimentation.

Comportements de catégorie B

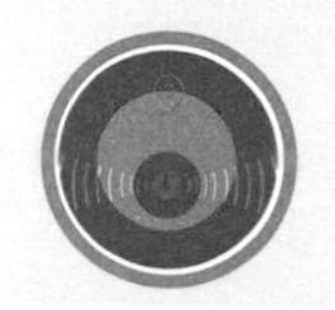

Comportement

COLÈRES

Réaction appropriée : attention différenciée. Ignorez calmement le mauvais comportement de l'enfant, mais consacrez-lui à nouveau toute votre attention s'il se calme. En cas d'escalade du comportement, et si l'enfant devient agressif ou destructeur (il tape, il jette des choses), imposez-lui immédiatement un temps mort. Restez ferme. En cédant, vous ne feriez qu'encourager ce type de comportement : l'enfant en conclurait que c'est un moyen efficace d'arriver à ses fins

Prévention : les colères sont un bug récurrent sur tous les modèles, qui se manifeste généralement entre 15 mois et 3 ans. Les colères surviennent parce que le système de l'enfant est surchargé par les nombreuses mises à jour de programme effectuées au cours de cette période. Prêtez attention à ce qui déclenche les colères : celles-ci se produisent le plus souvent lorsque l'enfant est fatigué, impatient, frustré, lorsqu'il s'ennuie ou qu'il a faim ou parce qu'on lui en demande trop. Imposez-lui un rythme raisonnable, sans être trop exigeant.

CONSEIL D'EXPERT : *choisissez bien vos batailles, en fonction de leur importance sur le long terme. Laissez le choix à l'enfant entre plusieurs possibilités lorsque c'est praticable et évitez de dire non systématiquement. Si*

votre fille tient à porter son T-shirt préféré quatre jours d'affilée, demandez-vous si cela vaut la peine d'insister pour qu'elle se change. Si vous décidez de changer d'avis, cédez rapidement, et tant que le niveau de comportement inadapté est faible. Ne cédez jamais tardivement ou en réaction à un comportement vraiment inapproprié, juste pour avoir la paix.

Comportement

PLEURNICHERIES

Réaction appropriée : attention différenciée. Ignorez l'enfant lorsqu'il parle en pleurnichant, et accordez-lui à nouveau votre attention lorsqu'il change de ton. Vous pouvez aussi lui montrer l'exemple, calmement et sans hausser le ton, et lui dire ce que vous attendez de lui sans lâcher l'objet que l'enfant convoite. Réfléchissez à ce qui déclenche les pleurnicheries de l'enfant (est-il fatigué ? s'ennuie-t-il ?) ou identifiez le comportement ou la compétence qu'il a besoin d'acquérir. Si l'enfant pleurniche pour obtenir quelque chose d'impossible, voir « Installation de la réaction adéquate au message « non » (p. 171) et « Les colères » (p. 169).

Prévention : il doit être bien nourri et reposé, et recevoir suffisamment d'attention de votre part. Réagissez rapidement lorsque l'enfant demande gentiment (même si vous vous contentez de le regarder, en lui demandant d'attendre une petite minute). Ne répondez pas « non » d'emblée, avant d'avoir réfléchi au caractère raisonnable de sa demande.

Installation des fonctions comportementales avancées

Une discipline efficace consiste à apprendre à l'enfant des comportements et des compétences adaptées pour effacer les fonctionnalités exaspérantes pré-installées. Vous trouverez ci-dessous des conseils pour mettre à jour des compétences indispensables dont l'enfant a besoin avant d'entrer à l'école maternelle. Ne soyez pas frustré s'il ne les affiche pas tout de suite : leur installation demande du temps et des efforts.

Installation de la réaction adéquate au message « non »

Des paroles sans action sont dépourvues de sens pour un jeune enfant. Vous devrez lui faire comprendre ce que signifie le mot « non » et lui démontrer que quand vous dites « non », cela veut vraiment dire « non ».

[1] Si l'enfant fait quelque chose qui n'est pas dangereux, dites calmement « non », pour commencer. Ne brouillez pas le message par de longues explications. Contentez-vous de dire « non ».

[2] S'il continue, haussez le ton et grondez-le.

[3] Si le comportement interdit persiste, l'enfant veut que vous lui prouviez qu'il doit arrêter. Éloignez l'enfant de l'endroit interdit ou retirez l'objet prohibé, pour le mettre hors de portée.

[4] Au cours des premières phases, toute bonne réaction au « non » devra être récompensée par des félicitations et des marques d'affection.

CONSEIL D'EXPERT : *si vous dites « non » trop souvent, ce mot perdra de son impact. Sécurisez votre domicile (voir p. 180) pour limiter les situations où il vous faudra formuler des interdictions. Pour les infractions mineures, préférez une formulation positive (par exemple « Reste assise sur le canapé, s'il te plaît » plutôt que « Arrête de sauter sur le canapé ».)*

Dire « s'il te plaît » et « merci »

Tenez l'objet que l'enfant souhaite obtenir en hauteur, en répétant « s'il te plaît », jusqu'à ce qu'il prononce lui aussi ces mots.

[**1**] Tenez l'objet que l'enfant souhaite obtenir en hauteur, en répétant « s'il te plaît », jusqu'à ce qu'il prononce lui aussi ces mots.

[**2**] Tendez lui aussitôt l'objet, mais sans le lâcher, jusqu'à ce qu'il ait dit « merci ». Il est possible que vous ayez à lui suggérer cette réponse, en demandant « qu'est-ce qu'on dit ? » ou « n'oublie pas de dire merci ».

[**3**] Le refus catégorique de dire « s'il te plaît » ou « merci » devra entraîner une annulation de la transaction. Si votre réaction suscite une colère, ignorez le phénomène.

Attendre

En apprenant à l'enfant à attendre, vous l'aiderez à surmonter son désir de gratification immédiate, pré-installé à la livraison.

[**1**] Demandez à l'enfant de venir s'asseoir à table. Posez devant lui un objet (petit jouet, en-cas) dont le niveau de désirabilité est bas ou moyen.

[2] Réglez une minuterie pour qu'elle sonne quelques secondes plus tard et aidez-le gentiment à garder ses mains sur les genoux. Lorsque la sonnerie retentit ou lorsque vous donnez votre feu vert, il peut prendre le jouet ou manger l'en-cas. Félicitez-le immédiatement.

[3] Augmentez progressivement la désirabilité de l'objet, et allongez la durée de l'attention, tout en allégeant votre assistance et votre présence.

[4] Si l'enfant pleurniche ou continue à vouloir prendre l'objet au bout de plusieurs tentatives, retirez l'objet et recommencez plus tard.

Attendre son tour

Savoir attendre son tour est essentiel en cas de ressources limitées entre plusieurs enfants (par exemple, partage de jouets dans une crèche).

[1] Commencez avec une tâche facile qui permet à l'enfant d'être impliqué même si ce n'est pas son tour, comme lancer une balle ou la faire rouler. Dites « à toi » et « à moi » à chaque fois que l'un de vous lance ou attrape la balle.

[2] Passez à une tâche qui demande à l'enfant d'attendre passivement, mais pendant une courte période seulement, comme empiler des cubes. Là encore, soulignez bien avec des mots le tour de chaque participant.

[3] Passez progressivement à des jeux et à des activités impliquant une attente plus longue pendant le tour de l'autre.

[4] Réglez une minuterie pour apprendre à de jeunes enfants à attendre, en jouant tout seul avec leurs jouets préférés et en marquant des pauses.

CONSEIL D'EXPERT : *il est parfaitement normal qu'un enfant de moins de deux ans joue tout seul à côté d'un autre enfant. Les spécialistes parlent de « jeux parallèles ». Les enfants commencent généralement à fonctionner en mode interactif et à jouer avec leurs copains 30 mois environ après la livraison.*

Partager

Cette fonction est difficile à paramétrer, car tous les modèles sont préprogrammés pour se préoccuper uniquement de leurs besoins personnels. Toutefois, si vous commencez progressivement, en montrant l'exemple et en félicitant l'enfant pour tout comportement ressemblant à un partage, votre modèle aura intégré cette fonction difficile vers l'âge de 3 ou 4 ans.

[1] Faites prendre conscience à l'enfant de ce qu'est un partage et de l'effort que cela représente en mettant des mots sur cette action. Félicitez-le lorsqu'il donne de son plein gré un objet dont il ne veut plus ou qu'il a fini d'utiliser.

[2] Montrez l'exemple en partageant et en vous exprimant (« Mmh, cette glace est vraiment délicieuse. Tiens, je partage avec toi. »).

[3] N'attendez pas de l'enfant qu'il partage tout. Laissez-le identifier et mettre de côté quatre ou cinq jouets « spéciaux » qu'il aura le droit de ne pas partager. Par contre, tous les autres jouets doivent pouvoir être utilisés par des tiers.

Se calmer seul

Comparé à un enfant qui pleurniche, pique une crise ou qui pleure jusqu'à ce qu'un parent intervienne pour lui donner ce qu'il veut, l'enfant qui sait

ACTIVER LA FONCTION « PARTAGE »

CONSEILS POUR INCITER L'ENFANT À PARTAGER

1. Apprenez-lui à partager en montrant l'exemple
2. Félicitez-le lorsqu'il partage
3. Laissez l'enfant choisir des jouets qu'il n'aura pas à partager

[non partagé]

[partagé]

se calmer tout seul a plus de chances d'être productif à l'école, de devenir un bon camarade, et de se faire des amis qu'il conservera. Pour installer cette fonction essentielle, appliquez la méthode ci-dessous.

[1] Maîtrisez-vous et restez calme. Ne vous fâchez pas et ne criez pas, car l'enfant risquerait de copier votre comportement.

[2] Lorsque l'enfant fait une colère, ne lui faites pas de câlin, ne le prenez pas dans vos bras, ne le bercez pas, ne l'apaisez pas et ne prononcez pas de paroles rassurantes. Même si la tentation de mettre un terme à la crise à court terme est forte, cette réaction ne ferait que susciter de nouvelles crises à l'avenir, et empêcher l'installation des fonctions de self-control chez l'enfant. Souvenez-vous que plus la réaction est intense, plus la colère passe vite : l'organisme n'est pas capable physiologiquement d'avoir des réactions intenses pendant une longue durée.

[3] Dès que l'enfant s'est calmé, recommencez à lui parler et à avoir des interactions positives avec lui.

Suivre une consigne simple

Une fois qu'il maîtrisera cette compétence, l'enfant sera prêt à acquérir des savoir-faire plus complexes, comme la gestion autonome des déchets, l'habillage, les repas et le respect de règles de vie en collectivité.

[1] Commencez par des consignes très simples (soyez sûr que l'enfant les comprend et qu'il sait les exécuter). Par exemple, « viens ici », « lève-toi », « assieds-toi », « ramasse-la », « donne-moi ça » et « ouvre la porte ».

[**2**] Regardez l'enfant dans les yeux, dites son nom et formulez la consigne, une seule fois, à haute et intelligible voix. Par exemple, dites « Pierre, viens ici s'il te plaît ». Soulignez votre propos avec un geste de la main, si vous pensez que l'enfant ne comprend pas ce que vous dites.

[**3**] Si l'enfant s'exécute, dites-lui « Bravo, c'est bien! Tu es venu quand je t'ai appelé! ». Émettez des signaux positifs, comme un sourire, et prodiguez-lui des signes d'affection, comme un câlin ou une caresse sur la tête.

CONSEIL D'EXPERT: *Réservez les félicitations et les manifestations d'enthousiasme et d'affection aux situations où l'enfant suit la consigne sans intervention physique de votre part. .*

[**4**] Si l'enfant ne suit pas la consigne dans les cinq secondes (il vous ignore, il cherche à gagner du temps, il pose une question ou il trouve une excuse) ou s'il fait autre chose que ce que vous lui avez demandé, prenez-le et guidez-le pour accomplir la tâche demandée. Par exemple, si vous l'avez prié de s'asseoir, prenez-le gentiment par la main, conduisez-le à la chaise et faites-le asseoir. Utilisez juste le contact physique nécessaire pour qu'il s'exécute, et supprimez progressivement votre assistance, pour qu'il apprenne à suivre la consigne seul.

[**5**] Ne lui donnez pas de nouvelle consigne avant que la première ait été exécutée.

[**6**] Si l'enfant commence à pleurer ou s'il devient agressif, vous pouvez ignorer son comportement ou lui imposer un bref temps mort (voir p. 161). Une fois qu'il s'est calmé, répétez la consigne.

[Chapitre 8]

Sécurité et procédure d'urgence

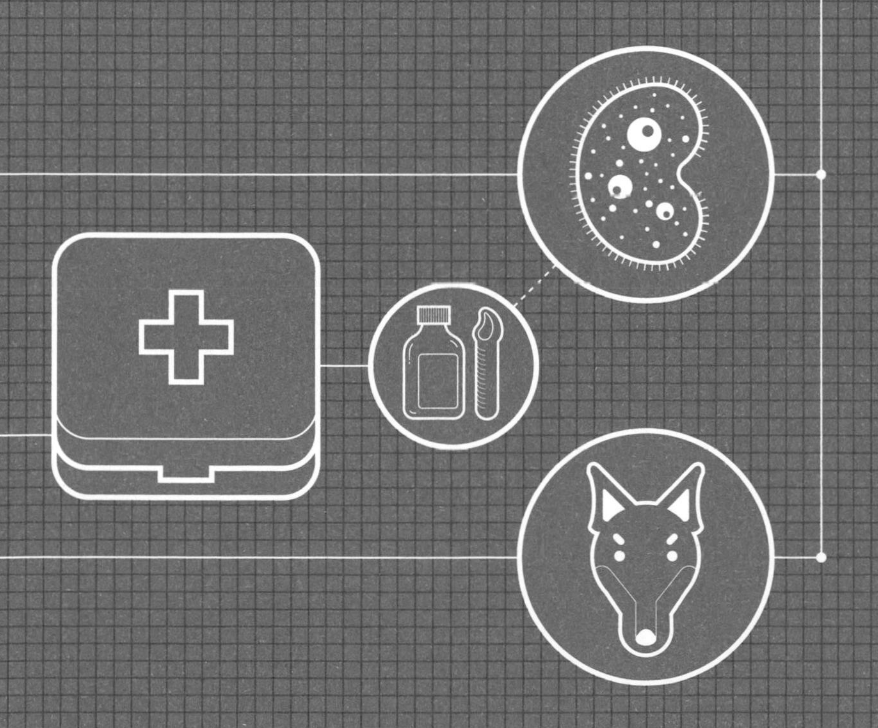

Sécuriser l'environnement

À mesure que l'enfant grandit, sa mobilité et sa curiosité croissantes exigent des ajustements continus de son environnement, pour qu'il reste en bon état de fonctionnement.

Stratégies de mise en conformité

Beaucoup d'enfants commencent par explorer l'environnement situé au-dessus d'eux – soit en tirant sur ce qu'ils arrivent à attraper, soit en grimpant. Commencez donc par vous intéresser à cet aspect de son environnement. Pour avoir une appréciation optimale de la situation, n'hésitez pas à parcourir votre domicile à quatre pattes afin de découvrir cet environnement avec les yeux de votre enfant.

[1] Couvrez les prises et sécurisez les fils électriques. Utilisez des caches pour obstruer les prises non utilisées et glissez les fils électriques des lampes et autres appareils électriques derrière des meubles lourds, ou utilisez des cache câbles.

[2] Installez des protège doigts sur les portes intérieures. Ces dispositifs empêchent les portes de s'ouvrir et se refermer complètement. Ainsi, l'enfant ne risquera pas de se coincer les doigts ou de s'enfermer dans une pièce

[3] Installez des verrous sur toutes les fenêtres et gardez-les fermées ou bien, si le type de fenêtre le permet, ouvertes seulement sur la partie supérieure.

[4] Collez de grands autocollants de couleur claire sur les portes vitrées et les baies vitrées pour qu'elles soient bien visibles (ainsi, l'enfant ne risquera pas de se cogner en essayant de passer à travers).

[**5**] Si vous avez des stores, relevez les cordons qui servent à les remonter, pour éviter tout risque de strangulation.

[**6**] Installez des barrières devant les escaliers et les pièces interdites. Les modèles qui se mettent en place par pression conviennent uniquement en bas des escaliers. Les dispositifs installés en haut des marches, eux, doivent toujours être solidement fixés aux murs.

[**7**] Fixez les étagères et les armoires aux murs avec des équerres. Ainsi, ils ne basculeront pas sur l'enfant si celui-ci s'y agrippe.

[**8**] Débarrassez-vous des végétaux toxiques et mettez toutes les plantes et les fleurs hors de portée de l'enfant. Ramassez les feuilles dès qu'elles tombent.

CONSEIL D'EXPERT : *lorsque vous êtes en vacances, appliquez les mêmes règles qu'à la maison pour sécuriser votre environnement. Constituez-vous un petit kit de voyage contenant plusieurs cache-prise, des embrasses pour attacher les cordelettes de rideaux, et des dispositifs faciles à installer qui empêcheront l'enfant d'ouvrir les tiroirs.*

[**9**] Passez régulièrement l'aspirateur pour retirer la poussière, la terre et toutes les petites choses avec lesquelles l'enfant risque de s'étouffer.

[**10**] Installez un détecteur de fumée à chaque étage de votre habitation, à l'extérieur des chambres et à proximité de la cuisine. Changez les piles des détecteurs de fumée et de monoxyde de carbone tous les six mois au minimum. Gardez un extincteur à proximité de la cuisine et de la cheminée, hors de portée des enfants.

[11] Installez des protections sur les coins de tables, les appuis de fenêtre, les cheminées et sur tous les angles vifs pouvant constituer un danger.

[12] Placez les allumettes, les produits chimiques, les sacs en plastique et les couteaux tranchants hors de portée des enfants ou dans des placards fermés à clé. Cachez les petits objets pouvant être avalés : boutons, billes, pièces de monnaie, trombones, punaises, etc.

[14] Sécurisez la porte d'entrée pour que l'enfant ne puisse pas se glisser hors de la maison sans que personne ne le remarque.

Dans la chambre à coucher

[1] Lorsque l'enfant quitte son lit à barreaux pour s'installer dans un grand lit (voir p. 78), équipez celui-ci de barrières pour maintenir votre modèle en place quand il est en mode sommeil.

[2] Veillez à ce qu'il n'y ait rien sous le lit de l'enfant (grandes boîtes, couvertures lourdes) qui risquerait de le recouvrir. Vérifiez aussi qu'il n'y ait pas de petits objets présentant un risque d'étouffement.

[3] Placez le lit loin des vitres et des cordons de rideaux.

[4] Installez sur les tiroirs des commodes des systèmes qui empêchent de les sortir complètement.

[5] Remplacez les poignées des placards et des chambres par des dispositifs qui se poussent et qui s'ouvrent facilement de l'intérieur.

Dans la salle de bains

Ne laissez jamais l'enfant aller seul dans la salle de bains, même pendant la phase d'initiation à la gestion autonome des déchets.

[1] Rangez les médicaments, y compris les vitamines et les préparations vendues sans ordonnance, ainsi que tous les produits d'entretien dans un placard fermant à clé, hors de portée de l'enfant.

[2] Mettez un tapis antidérapant en caoutchouc au fond de la baignoire, et un tapis de bain antidérapant par terre, sur les surfaces en bois ou carrelées.

[3] Couvrez les robinets avec des protège-robinets en caoutchouc : ils empêchent l'enfant de se cogner, tout en permettant à l'eau de couler.

[4] Ne laissez jamais la baignoire pleine. Lorsque le bain est terminé, videz-la immédiatement.

[5] Vérifiez que toutes les prises sont reliées à la terre.

[6] Installez un système de fermeture sur les toilettes. Prenez l'habitude de baisser le couvercle et la lunette, et fixez-les à la cuvette avec le système de fermeture. Quand l'enfant sera plus grand et que vous le reprogrammerez pour une gestion autonome des déchets, cet accessoire deviendra obsolète.

[7] Ne jetez pas des objets potentiellement dangereux (lames de rasoir, médicaments périmés, flacons d'articles de toilettes) dans une poubelle de salle de bains dépourvue de couvercle.

[8] Si vous avez un chauffe-eau, vérifiez que la température de l'eau chaude est inférieure 50 °C.

[9] Débranchez et rangez hors de portée de l'enfant sèche-cheveux, fers à friser et autres appareils électriques, dès que vous avez fini de les utiliser.

Dans la cuisine

[1] Ne quittez pas la cuisine lorsqu'il y a quelque chose qui cuit sur les plaques ou dans le four.

[2] Placez tous ustensiles de cuisine coupants et sacs en plastique dans un tiroir fermant à clé. Rangez les verres et les plats hors de portée des enfants.

[3] Posez des caches sur les boutons de la cuisinière et des dispositifs pour empêcher l'enfant d'ouvrir tiroirs et placards. Si l'enfant arrive à y accéder malgré tout, retirez tous les accessoires coupants ou dangereux de ce rangement et mettez-les hors de sa portée.

[4] Éloignez les chaises et les marchepieds des surfaces de cuisson.

[5] Utilisez en priorité les plaques arrière de la cuisinière. Tournez tous les manches de casserole vers l'intérieur.

***CONSEIL D'EXPERT** : aménagez un placard « spécial enfant » que votre progéniture aura le droit d'explorer. Mettez-y récipients en plastique, cuillères en bois, petites casseroles et poêles, et autres objets sans danger. Renouvelez régulièrement son contenu, pour que l'enfant continue à s'y intéresser et pour détourner son attention des zones plus dangereuses de la cuisine.*

[6] Débranchez tous les appareils électriques dont vous ne vous servez pas. Si vous avez un réfrigérateur ancien, installez-y un dispositif permettant d'ouvrir la porte de l'intérieur, ou placez un cadenas sur l'extérieur.

[7] Posez les récipients chauds loin du bord des plans de travail.

Dans le salon et la salle à manger

[1] Rangez dans des placards fermant à clé ou hors de portée de l'enfant les objets qui se cassent : verreries, porcelaine, objets d'art, etc.

[2] Évitez d'utiliser une nappe ou des sets de table. Si vous mettez une nappe sur la table, nouez-en les coins : ainsi, s'il tire sur la nappe, l'enfant ne risquera pas de faire tomber sur lui les objets installés sur la table.

[3] Installez les téléviseurs à des emplacements sûrs. Fixez-les solidement à leurs supports, ou installez-les aussi bas et loin des bords que possible.

[4] Sécurisez la cheminée. Mettez un pare-feu pour empêcher l'enfant de s'approcher des flammes. Retirez les boutons permettant d'allumer les cheminées au gaz. Enlevez également tous les accessoires de cheminée.

À l'extérieur

Ne laissez jamais l'enfant sans surveillance dans le jardin. Soyez particulièrement vigilant à proximité d'une piscine, d'une mare, d'un ruisseau ou de tout autre plan d'eau. Un enfant peut se noyer dans 3 cm d'eau.

[**1**] Entourez les piscines et les mares d'une clôture (sur tous les côtés), avec une porte fermant à clé. Restez extrêmement vigilant quand l'enfant est près de l'eau : n'essayez pas de faire autre chose en le surveillant.

[**2**] Rangez les outils servant à jardiner et à tondre le gazon, ainsi que les produits chimiques, dès que vous avez fini de les utiliser. Ne laissez jamais un enfant sans surveillance dans le jardin, surtout si ces objets sont à sa portée.

[**3**] Installez des serrures sur tous les portails du jardin, les portes de remises et les portes de garages.

⚠ ***ATTENTION :*** *rangez les seaux et autres récipients avec l'ouverture tournée vers le sol, pour empêcher qu'ils se remplissent d'eau de pluie. Les seaux sont particulièrement dangereux : comme le haut du corps et la tête d'un enfant sont plus lourds que le bas du corps, l'enfant peut avoir du mal à se redresser s'il perd l'équilibre en se penchant au-dessus d'un seau.*

[**4**] Couvrez les appareils électriques de plein air et vérifiez que les prises sont bien reliées à la terre. Débranchez systématiquement les appareils de jardinage électriques après utilisation.

[**5**] Interdisez l'accès au jardin lorsque vous tondez la pelouse, taillez les arbres ou traitez le gazon avec des produits phytosanitaires. Après avoir appliqué de l'engrais ou d'autres produits chimiques, vérifiez le délai à respecter avant de pouvoir à nouveau autoriser l'accès à la pelouse.

[**6**] Entretenez les clôtures et les arbres du jardin. Vérifiez que la clôture est en bon état et qu'il n'y a pas de branches mortes ou tombées.

Manœuvre de Heimlich et réanimation cardiorespiratoire

La manœuvre de Heimlich permet d'évacuer un corps étranger obstruant les voies respiratoires de l'enfant. Si l'enfant ne respire plus, il faudra pratiquer une réanimation cardiorespiratoire. Tous les utilisateurs, qu'ils soient principaux ou secondaires, doivent maîtriser ces deux procédures. Pour savoir où les apprendre, renseignez-vous auprès de la Croix-Rouge.

Identification d'un problème respiratoire

[**1**] Soyez attentif aux signaux d'alerte. L'enfant a du mal à respirer? Il devient bleu? Il s'étouffe, perd connaissance ou ne réagit plus aux stimuli?

CONSEIL D'EXPERT : *en touchant et en écoutant l'enfant, on parvient à déterminer s'il respire encore. Vous pouvez aussi placer un miroir incassable devant son nez et sa bouche : s'il respire, le miroir se couvrira de buée.*

[**2**] Demandez à quelqu'un d'appeler le SAMU. Si vous êtes seul, faites la manœuvre de Heimlich ou la réanimation cardiorespiratoire pendant une minute, puis appelez le SAMU et retournez auprès de l'enfant.

[**3**] Efforcez-vous de déterminer l'origine du problème. L'enfant ne respire plus? Était-il en train de manger? Un corps étranger est-il coincé dans sa gorge? Si c'est le cas, pratiquez la manœuvre de Heimlich (voir p. 188).

L'enfant arrive-t-il malgré tout à respirer? Entendez-vous un sifflement?

Est-ce que l'enfant s'étouffe ou tousse? Si oui, asseyez-le, en le penchant légèrement en avant, et laissez-le tenter d'expulser le corps étranger grâce aux réflexes naturels, en toussant. S'il n'arrive toujours pas à respirer normalement au bout de deux ou trois minutes, appelez le SAMU. Dans cette situation, ne pratiquez pas la manœuvre de Heimlich : vous risqueriez d'enfoncer davantage le corps étranger.

Si l'enfant est inconscient mais ne semble pas y avoir de corps étranger dans les voies respiratoires, faites une réanimation cardiorespiratoire (voir p. 190).

Si l'enfant est malade ou s'il souffre d'une allergie susceptible de l'empêcher de respirer, ne faites ni manœuvre de Heimlich, ni réanimation cardiorespiratoire. Appelez immédiatement le SAMU et suivez les instructions qui vous seront données.

Manœuvre de Heimlich

[1] Allongez l'enfant sur une surface plane et dure (par exemple par terre ou sur une table robuste).

[2] Agenouillez-vous et mettez-vous à califourchon sur ses cuisses. N'appuyez pas votre poids sur ses jambes

[3] Posez le bas de la main sur l'abdomen de l'enfant, entre son nombril et la base de sa cage thoracique. Posez votre deuxième main sur la première.

[4] Appuyez doucement mais fermement, à la fois vers l'intérieur et vers le haut. Exercez cinq ou six poussées, à intervalles rapides.

[5] Vérifiez s'il y a un corps étranger dans la bouche de l'enfant. Retirez-le doucement le cas échéant. N'insérez pas votre doigt dans sa bouche en le glissant d'un côté à l'autre, et n'essayez pas de retirer un corps étranger que vous ne voyez pas ou en partie seulement. Vous risqueriez de l'enfoncer à nouveau dans la gorge de l'enfant.

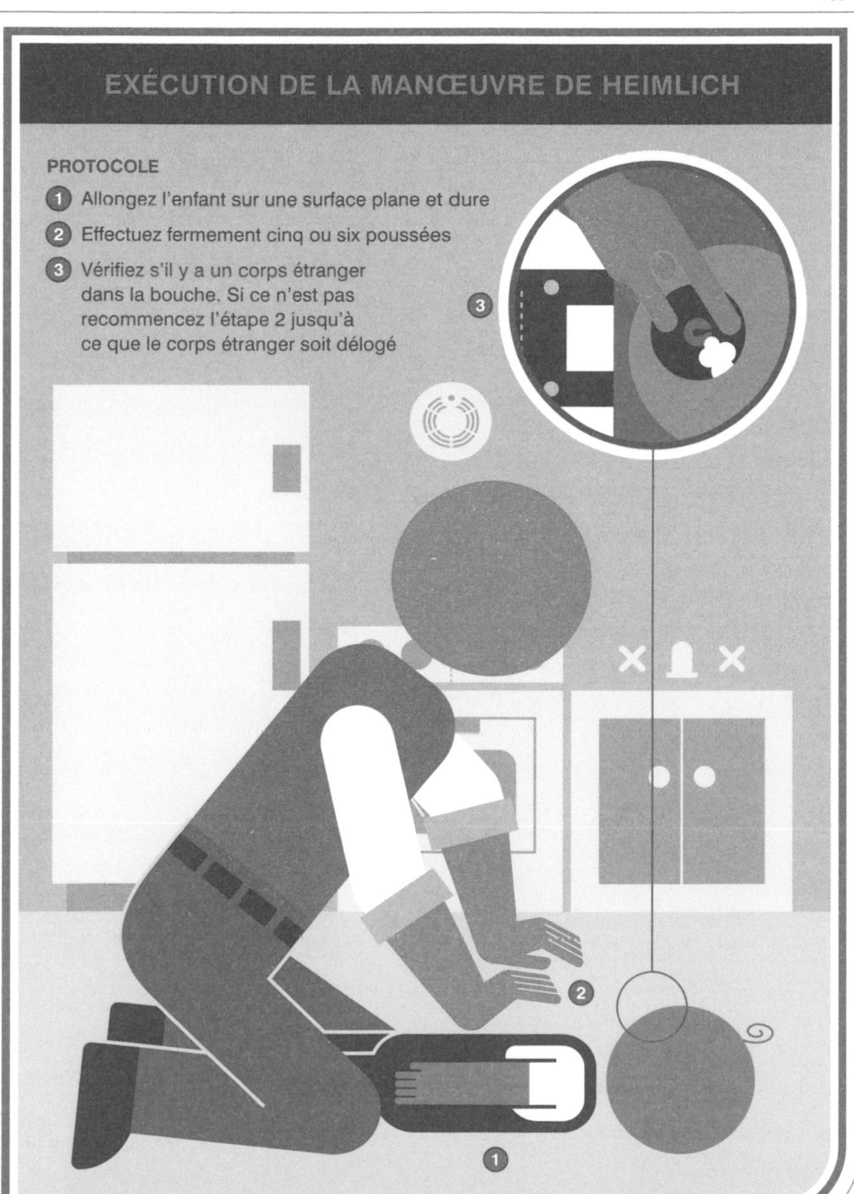
EXÉCUTION DE LA MANŒUVRE DE HEIMLICH
PROTOCOLE
1 Allongez l'enfant sur une surface plane et dure
2 Effectuez fermement cinq ou six poussées
3 Vérifiez s'il y a un corps étranger dans la bouche. Si ce n'est pas recommencez l'étape 2 jusqu'à ce que le corps étranger soit délogé
3
2
1

[6] Répétez les étapes 1 à 5 jusqu'à ce que le corps étranger soit délogé et enlevé de la bouche de l'enfant.

[7] Vérifiez que l'enfant respire bien. Si nécessaire, pratiquez une réanimation cardiorespiratoire (voir ci-dessous).

Réanimation cardiorespiratoire

[1] Allongez l'enfant sur le dos, sur une surface plane et dure (par exemple par terre ou sur une table robuste).

[2] Inclinez légèrement sa tête vers l'arrière, pour dégager ses voies respiratoires (Fig. A). Soulevez légèrement son menton et penchez le front vers l'arrière.

[3] Placez votre bouche sur le nez et la bouche de l'enfant. Si vous n'arrivez pas à couvrir entièrement son nez et sa bouche avec votre bouche, bouchez-lui le nez en pinçant ses narines, doucement mais fermement, d'une main.

[4] Insufflez deux fois de l'air dans ses poumons, doucement (Fig. B). En soufflant, vérifiez que la poitrine de l'enfant se soulève et que ses poumons se remplissent d'air. Si la poitrine ne se soulève pas, effectuez la manœuvre de Heimlich (voir p. 188) s'il y a un corps étranger obstruant ses voies respiratoires, puis répétez les étapes 1 à 4.

[5] Observez la poitrine de l'enfant. S'il respire tout seul, attendez l'arrivée du SAMU. S'il ne respire toujours pas, vérifiez son pouls. Posez doucement l'index et le majeur sur son cou (à droite ou à gauche sous sa mâchoire) et voyez si vous sentez son pouls. (Fig. C).

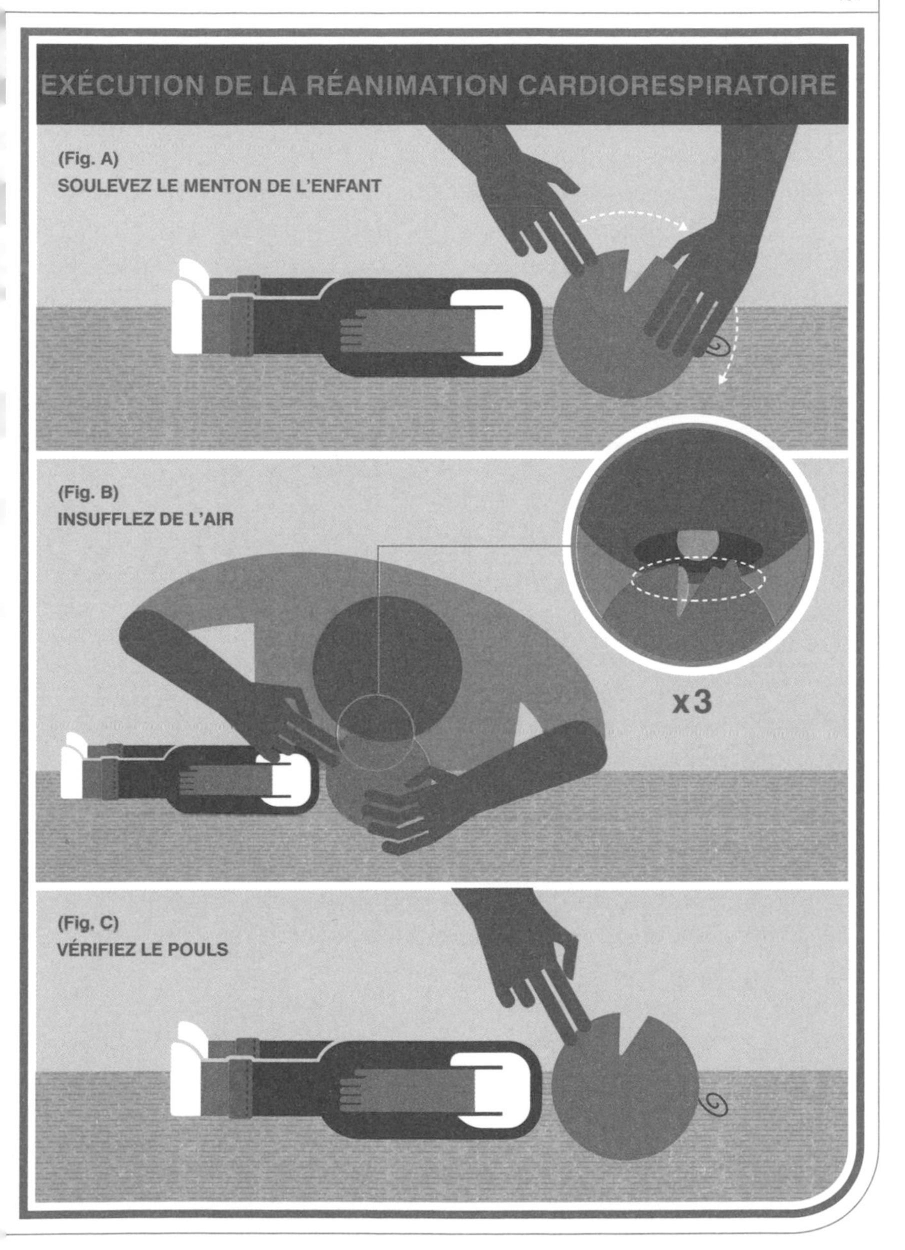
EXÉCUTION DE LA RÉANIMATION CARDIORESPIRATOIRE
(Fig. A)
SOULEVEZ LE MENTON DE L'ENFANT
(Fig. B)
INSUFFLEZ DE L'AIR
x3
(Fig. C)
VÉRIFIEZ LE POULS

[6] Si vous sentez le pouls mais que l'enfant ne respire pas, répétez l'étape 4 pendant une minute en insufflant 20 fois de l'air en une minute (une respiration toute les 3 secondes). Vérifiez toutes les 2 respirations si l'enfant respire. Si vous ne sentez pas le pouls, passez à l'étape 7.

[7] Posez le bas d'une main sur le sternum de l'enfant. La main doit être positionnée de manière à ce que le bas repose sur la base du sternum, en remontant vers les mamelons de l'enfant. Comprimez la poitrine de 2,5 à 4 cm, 4 à 4 fois ½ par période de 3 secondes.

[8] Toutes les cinq compressions, insufflez de l'air une fois, tel que décrit ci-dessus.

[9] Vérifiez la respiration et le pouls de l'enfant. S'ils sont revenus, passez à l'étape 12.

[10] Continuez la réanimation cardiorespiratoire en effectuant 80 à 100 compressions à la minute. Insufflez de l'air toutes les cinq compressions. Poursuivez ainsi jusqu'à l'arrivée du SAMU.

Prendre la température

La température interne de l'enfant doit être d'environ 37 °C. Au fil des mises à jour successives, les fonctions motrices et d'écoute de l'enfant sont plus avancées, ce qui facilite la prise de la température par la bouche. Toutefois, cela est moins efficaces que la prise rectale ou sous le bras.

⚠ ***ATTENTION :*** *mieux vaut utiliser un thermomètre numérique. Évitez les modèles en verre, qui peuvent casser.*

[1] Préparez le thermomètre : rincez l'extrémité à l'eau tiède et enduisez-la d'un peu de vaseline.

[2] Insérez le thermomètre dans l'anus de l'enfant, en l'enfonçant de 2,5 cm au maximum.

⚠ ***ATTENTION :*** *La mobilité nouvelle de l'enfant lui permet de se tortiller et de se rouler pendant la procédure. Essayez de garder l'enfant aussi calme que possible et consolez-le. Si ses mouvements deviennent ingérables, retirez le thermomètre et demandez à un autre adulte de venir vous prêter main-forte. Répétez les étapes 1 à 3.*

[3] Maintenez le thermomètre jusqu'à ce que le délai soit écoulé et que la température s'affiche. La plupart des appareils numériques sonnent lorsque l'opération est achevée (généralement au bout d'environ 2 minutes).

[4] Retirez le thermomètre et regardez la température affichée.

[5] Si elle dépasse 39,5 °C, contactez le chargé de maintenance de l'enfant.

Administrer un médicament

Tous les enfants, même ceux mis à jour régulièrement, peuvent attraper des virus. Occasionnellement, il vous faudra administrer des médicaments à l'enfant pour qu'il puisse à nouveau fonctionner à plein régime. Beaucoup de modèles sont réfractaires au chargement de médicaments. Utilisez les méthodes suivantes pour les administrer.

Sirops et comprimés

Mieux vaut utiliser des médicaments en sirop pour tous les modèles: la plupart des enfants n'arrivent pas à avaler des comprimés avant 6 à 8 ans. En revanche, si le médicament est disponible en comprimés à croquer, vous pouvez en donner à l'enfant.

[**1**] Prenez votre médicament et un accessoire permettant de le doser: seringue pour administration orale, gobelet, cuillère-doseuse et tétine spéciale médicaments. Tous ces outils doivent être dotés de graduations permettant de mesurer le dosage adéquat.

ATTENTION: *n'utilisez pas de cuillère à café ou à soupe pour doser un médicament: leur contenance peut varier considérablement d'un modèle à l'autre.*

[**2**] Mesurez la dose adéquate. Si le sirop est épais, vous pourrez le doser avec plus de précision en utilisant une seringue. Si vous vous servez d'un gobelet-doseur spécial médicaments, sachez que le sirop peut adhérer aux parois, ce qui réduira la dose administrée à l'enfant.

⚠ ***ATTENTION :*** *qu'il s'agisse d'un médicament fourni sur ordonnance ou non, le chargé de maintenance de l'enfant ou le fabricant du sirop prescrira un dosage adapté à votre modèle. En règle générale, ce dosage est fonction du poids de l'enfant, plus que de son âge. Toutefois, si la dose correspondant au poids de votre modèle est inférieure ou supérieure à ce que le fabricant préconise pour sa catégorie d'âge, consultez son chargé de maintenance pour connaître la dose à administrer.*

[**3**] Si nécessaire, commencez par donner à manger à l'enfant. Beaucoup de préparations, notamment les antibiotiques, se prennent le ventre plein, ou bien au moins accompagnés d'un peu de nourriture. Demandez conseil au pharmacien ou reportez-vous aux indications figurant sur la notice.

[**4**] Approchez l'enfant de manière positive, et montrez-lui l'accessoire servant à donner le médicament.

[**5**] Versez le sirop dans le fond de la gorge de l'enfant ou dans ses joues : il l'avalera plus facilement. De plus, il sentira moins le goût du sirop et aura plus du mal à le recracher.

CONSEIL D'EXPERT : consultez le chargé de maintenance de l'enfant si vous pensez avoir donné une dose de médicament trop faible ou trop élevée.

Administrer un médicament à un modèle réfractaire

Beaucoup de modèles n'apprécient pas le goût des médicaments et refusent de les avaler, voire même d'ouvrir la bouche. La méthode suivante permet de faire prendre la préparation à un modèle récalcitrant.

■ - Achetez des médicaments aromatisés. Beaucoup de préparations sont proposées avec des parfums appréciés des enfants. Si votre pharma-

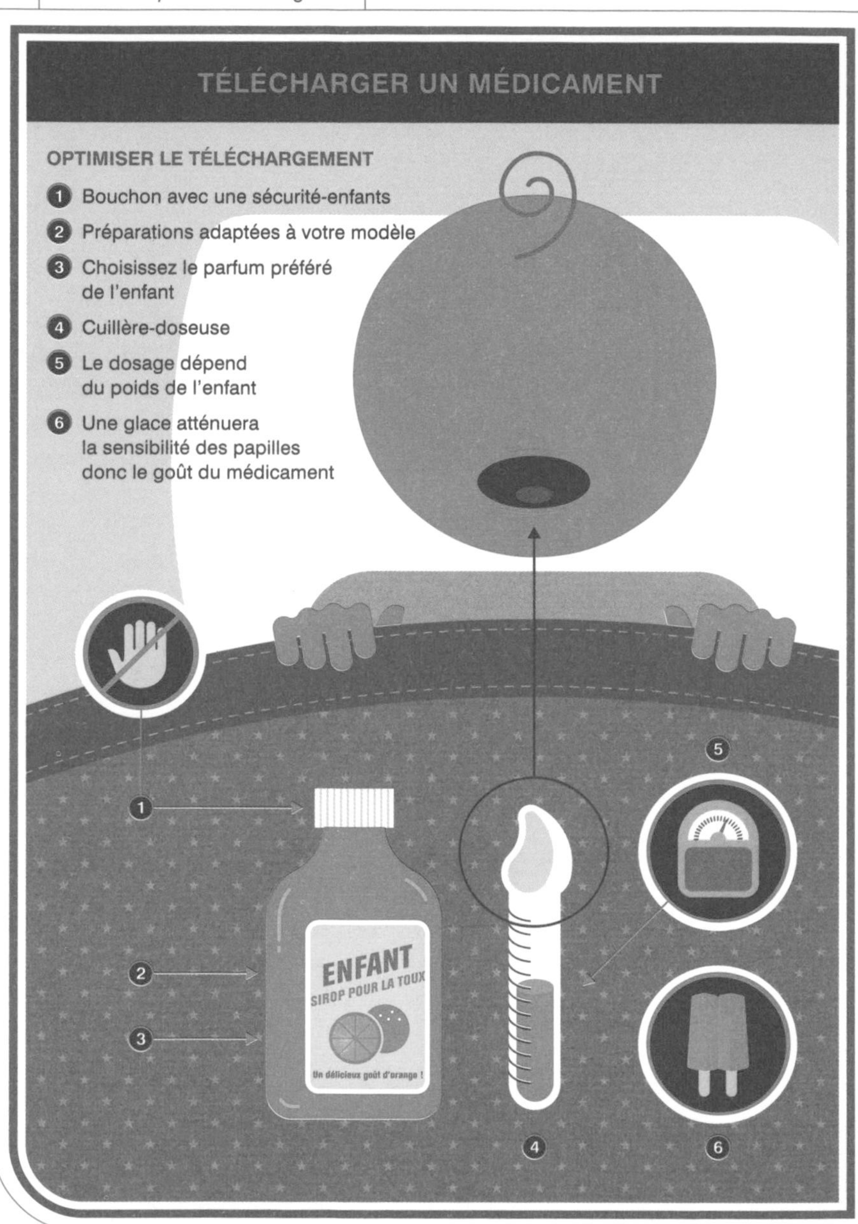
TÉLÉCHARGER UN MÉDICAMENT
OPTIMISER LE TÉLÉCHARGEMENT
1 Bouchon avec une sécurité-enfants
2 Préparations adaptées à votre modèle
3 Choisissez le parfum préféré de l'enfant
4 Cuillère-doseuse
5 Le dosage dépend du poids de l'enfant
6 Une glace atténuera la sensibilité des papilles donc le goût du médicament
ENFANT
SIROP POUR LA TOUX
Un délicieux goût d'orange !

cien prépare lui-même les antibiotiques, il peut les aromatiser. Vous pouvez également ajouter un arôme spécial pour médicament : toutefois, cela risque de modifier le dosage du médicament. Consultez les indications figurant sur l'arôme.

■ Expliquez à l'enfant pour quelle raison il doit prendre ces préparations. Certains modèles apprécieront qu'on leur expose un raisonnement et suivront vos consignes.

⚠ ***ATTENTION :*** *ne présentez pas le médicament comme un bonbon, pour motiver l'enfant. Il risquerait de profiter d'un moment d'inattention de votre part pour aller se servir tout seul, ce qui provoquerait un surdosage.*

■ Donnez un aliment ou une boisson ayant beaucoup de goût avant et après le médicament. Par exemple, proposez à l'enfant une bouchée de son aliment préféré, puis faites-lui prendre le médicament, avant de lui donner une boisson qu'il apprécie.

■ Proposez une glace à l'enfant avant la prise du médicament. Le froid atténuera la sensibilité de ses papilles gustatives : il sentira donc moins le goût.

■ En fonction du type d'enfant, donnez la dose en une seule fois ou fractionnée en plusieurs gorgées.

Maintenance médicale

La plupart des modèles contracteront les mêmes maladies que lorsqu'ils étaient bébés. Soignez l'enfant comme vous aviez l'habitude de le faire et contactez son chargé de maintenance. De surcroît, il subira peut-être des bugs dus à des maladies ou des blessures spécifiques à son âge et à son niveau d'activité. Contactez le chargé de maintenance de l'enfant si vous constatez des anomalies de fonctionnement.

Morsures et griffures

Les morsures de chiens et griffures de chat peuvent endommager les extrémités de l'enfant, à la suite d'un contact agressif avec un animal. Ces deux phénomènes doivent être soignés et surveillés.

Les morsures provoquent blessures, saignements et hématomes autour de la zone de contact. Vérifiez si tous les vaccins du chien sont à jour et contactez le chargé de maintenance de l'enfant pour déterminer le traitement adéquat. Si la morsure n'est pas importante, il suffit généralement de nettoyer la plaie et d'appliquer une crème antibiotique et des pansements. Surveillez la morsure pour vérifier qu'il n'y a pas de signes d'infection : rougeurs, gonflements, écoulement. Si ces symptômes apparaissent, appelez le chargé de maintenance. La morsure doit disparaître en sept à dix jours.

Les griffures de chat peuvent s'accompagner d'un gonflement. Nettoyez bien la blessure et utilisez une crème antibiotique et des pansements. Dans certains cas, l'enfant peut contracter la maladie des griffures de chat. Parmi les symptômes, on compte des ganglions enflés dans le cou et de la fièvre. Contactez le chargé de maintenance de l'enfant pour déterminer les mesures à prendre. Les griffures et la maladie des griffures de chat (lorsqu'elle est soignée) disparaissent en une semaine.

Piqûres d'abeille

Les piqûres d'abeille ne sont préoccupantes que si elles provoquent des es réactions allergiques : douleurs abdominales, vomissements, difficultés respiratoires, urticaire. Contactez immédiatement le chargé de maintenance de l'enfant si vous constatez une de ces réactions. En cas de réactions légères (démangeaison ou léger gonflement autour de la piqûre), faites ce qui suit :

[**1**] Faites glisser votre ongle sur la piqûre, pour extraire le dard. N'utilisez pas de pince à épiler et ne pincez pas la piqûre entre vos doigts pour retirer le dard : cela risquerait de libérer davantage de venin.

[**2**] Placez une compresse froide dans une serviette et appliquez-la sur la piqûre, pendant 5 à 15 minutes.

[**3**] Appliquez une crème à la cortisone.

[**4**] Surveillez la piqûre pour voir si elle gonfle ou si une réaction allergique importante survient : ces réactions peuvent se produire en quelques minutes, mais aussi jusqu'à six heures plus tard.

Fractures

Une chute ou un impact violent peuvent provoquer une fracture. Le squelette de l'enfant est en plein développement – ses compétences physiques aussi : le risque de fracture est donc plus élevé que chez les modèles plus anciens et plus récents.

Les fractures les plus courantes chez l'enfant sont des fêlures, accompagnées seulement d'une douleur ciblée, sans autre symptôme.

Si l'enfant se sert de sa main, son pied, son bras ou sa jambe de manière inhabituelle, ou s'il a un hématome qui ne régresse pas, appuyez doucement à différents endroits de cette zone, pour vous assurer qu'il n'éprouve pas de douleur. Si c'est le cas, contactez son chargé de maintenance, qui pourra décider de lui faire passer une radio.

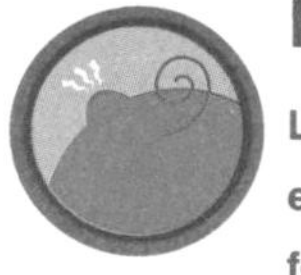

Bosses et bleus

L'occurrence des bleus et des bosses augmente de manière exponentielle au fil des mises à jour successives, qui transforment le bébé en enfant actif. Les bleus, ou hématomes, sont une collection de sang et de liquides à l'endroit d'un choc. Ils peuvent indiquer une blessure aussi grave qu'une fracture (voir Fractures) ou provoquer une simple bosse.

S'ils apparaissent le plus souvent sur le bas des jambes et sur les bras, les bleus peuvent se produire partout. Si l'enfant a beaucoup d'hématomes, vous pourrez avoir l'impression qu'ils se déplacent: en réalité, il s'agit de bleus différents, qui apparaissent et se résorbent à différents endroits. Par ailleurs, après un traumatisme, il est possible qu'une collection de sang se produise dans une autre zone du corps, située plus bas (par exemple, un hématome sur le coude peut faire gonfler le poignet). Traitez les bleus de la manière suivante.

[1] Mettez de la glace sur la zone du traumatisme, le plus rapidement possible. Cela empêchera l'apparition d'une ecchymose et d'un gonflement.

[2] Surveillez l'hématome. Il est possible qu'il durcisse et se calcifie. Toutefois, cela se résorbera en un mois, voire deux. Les hématomes peuvent également devenir rouges et chauds, ce qui indique généralement une

infection secondaire. Contactez le chargé de maintenance de l'enfant en cas d'inquiétude ou si l'hématome ne disparaît pas en trois à cinq jours.

⚠ ***CONSEIL D'EXPERT:*** *les hématomes à la tête peuvent provoquer un gonflement sous les yeux et une coloration violacée. Ce n'est pas préoccupant, sauf si les symptômes décrits page 207 (« blessures à la tête ») se manifestent.*

Brûlures

Les brûlures du premier degré, relativement bénignes, sont rouges et douloureuses. Les brûlures du deuxième degré sont plus sérieuses: souvent rouges et douloureuses, elles présentent des cloques. Les brûlures du troisième degré (avec des cloques et peu douloureuses) doivent être traitées immédiatement par le personnel médical des urgences.

Soigner une brûlure du premier ou du deuxième degré

[**1**] Plongez la zone concernée dans de l'eau froide pendant 10 minutes environ, pour réduire le gonflement, les rougeurs et les cloques. N'appliquez pas de glace sur une brûlure.

[**2**] Posez un gant de toilette froid sur la zone pendant plusieurs minutes.

[**3**] Laissez la brûlure sécher à l'air, sans la tamponner avec une serviette.

[**4**] Appliquez une crème antibiotique, une pommade spéciale pour les brûlures ou une préparation à l'aloe vera. Ne mettez pas d'huile, de beurre ou de pommade sur la lésion.

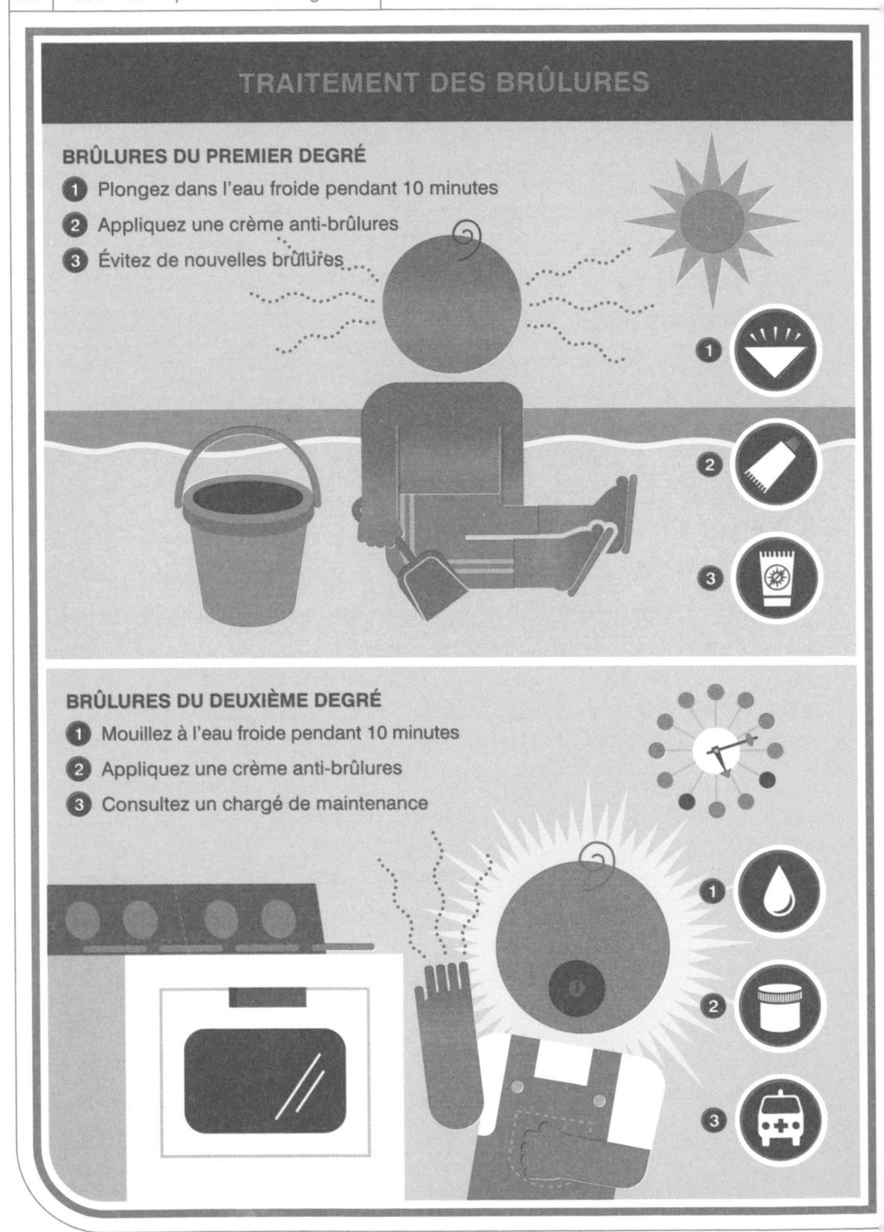
TRAITEMENT DES BRÛLURES
BRÛLURES DU PREMIER DEGRÉ
1 Plongez dans l'eau froide pendant 10 minutes
2 Appliquez une crème anti-brûlures
3 Évitez de nouvelles brûlures
1
2
3
BRÛLURES DU DEUXIÈME DEGRÉ
1 Mouillez à l'eau froide pendant 10 minutes
2 Appliquez une crème anti-brûlures
3 Consultez un chargé de maintenance
1
2
3

[5] Cover with a sterile, nonadhesive dressing. Keep the area both clean and dry for a week to 10 days, or until the burn heals.

Coupures et écorchures

Lavez la zone avec du savon et de l'eau, enlevez d'éventuelles saletés et appliquez une pression directe sur la lésion avec un tissu propre, jusqu'à ce que le saignement cesse. Beaucoup d'enfants réagissent positivement à la pose d'un petit pansement (surtout si celui-ci est à l'effigie de leur personnage préféré). Toutefois si possible, mieux vaut laisser la lésion à l'air libre, elle cicatrisera plus rapidement. Appliquez une crème antibiotique si la cicatrisation ne s'effectue pas au bout de quelques jours.

Traumatismes dentaires

Une dent cassée ou qui bouge à la suite d'un traumatisme (par exemple après une chute de vélo ou dans les escaliers) n'est généralement pas trop grave, dès lors que la dent reste fixée à la gencive. Toutefois, il est conselllé d'aller consulter un chargé de maintenance dentaire. Si l'enfant perd une dent suite à un choc, appliquez une pression sur la gencive pour faire cesser le saignement, retrouvez la dent et consultez immédiatement le chargé de maintenance dentaire de l'enfant.

CONSEIL D'EXPERT : *à l'aide d'une pipette, mettez une goutte d'huile d'olive à l'entrée du conduit auditif de l'enfant, dans chaque oreille. Laissez l'huile pénétrer dans un conduit puis dans l'autre. Il se peut que cela soulage temporairement l'enfant et atténue la douleur.*

Otites

Une otite est une inflammation de l'oreille moyenne, d'origine virale ou bactérienne. Si une otite dure plus de cinq jours, consultez le chargé de maintenance de l'enfant.

Si l'enfant pleure et reste inconsolable, s'il se touche l'oreille, s'il semble avoir mal en changeant de position (par exemple en passant de la verticale à l'horizontale) et s'il a de la fièvre, il s'agit peut-être d'une otite. Dans ce cas, contactez son chargé de maintenance.

Les otites sont généralement soignées avec des antibiotiques. Cette approche, qui est la plus rapide, empêchera l'infection de s'étendre et de provoquer des problèmes plus graves, comme une méningite. Il existe différents types d'antibiotiques, adaptés aux enfants. Il se peut que le médecin soit obligé de prescrire différents antibiotiques avant de trouver le bon. Si l'enfant a eu des otites lorsqu'il était bébé, le médecin pourra prescrire un antibiotique qui a fait ses preuves par le passé. Pour préserver l'équilibre de la flore intestinale, donnez du yaourt à l'enfant pendant la durée du traitement.

CONSEIL D'EXPERT : *à l'aide d'une pipette, mettez une goutte d'huile d'olive à l'entrée du conduit auditif de l'enfant, dans chaque oreille. Laissez l'huile pénétrer dans un conduit puis dans l'autre. Il se peut que cela soulage temporairement l'enfant et atténue la douleur.*

Eczéma

Cette affection de la peau provoque plaques, rougeurs, démangeaisons, sécheresse cutanée, gonflements et cloques sur la peau. Elle est souvent localisé derrière les coudes et les genoux, ou sur le visage. Voici comment traiter l'eczéma :

[1] Appliquez sur la zone touchée une crème à l'hydrocortisone adaptée aux enfants, deux fois par jour.

[2] Réduisez le nombre de bains. Baignez l'enfant au maximum tous les deux jours.

[3] Appliquez une lotion hydratante pendant que la peau est encore humide.

Électrocutions

Le risque d'électrocution peut se produire lorsque l'enfant touche une prise ou mord un fil électrique. Si votre modèle insère un objet métallique dans une prise ou s'il se prend une décharge, l'enfant retirera sans doute sa main assez rapidement pour éviter des dommages graves. Il se peut même que vous ne remarquiez rien. Si vous pensez que votre modèle a été électrocuté, examinez-le pour voir s'il présente des brûlures. Il est possible que vous découvriez des brûlures du troisième degré, par exemple une marque noire, au point de contact ou à un point de sortie, ou des brûlures du premier ou deuxième degré, moins graves, ayant provoqué des cloques, des rougeurs ou des gonflements (voir p. 201 pour savoir que faire en cas de brûlure).

Si l'enfant a reçu une décharge plus importante, par exemple après avoir mordu un fil électrique, il peut perdre conscience et son cœur peut s'arrêter. Dans ce cas, coupez immédiatement l'électricité, appelez le SAMU puis pratiquez une réanimation cardiorespiratoire (voir p. 190).

⚠ ***ATTENTION :*** *en cas d'électrocution, contactez le chargé de maintenance de l'enfant.*

Fièvre

Une fièvre peu élevée indique que le système immunitaire de l'enfant combat la maladie et ralentit la réplication des virus, empêchant l'état de santé de l'enfant de se dégrader. Par conséquent, ils ne préconisent pas de traiter une fièvre inférieure à 38,5 °C.

⚠ ***ATTENTION :*** *si un enfant âgé de 1 à 4 ans a plus de 39,7 °C, contactez son chargé de maintenance.*

[1] Posez votre main sur le front et sur le dos de l'enfant. Si ces zones vous paraissent chaudes, prenez sa température (voir p. 193). Sachez que la température d'un enfant peut être légèrement plus élevée après une sieste ou au réveil.

[2] Si la température est comprise entre 38,5 et 39,5 °C, administrez à votre modèle une dose d'ibuprofène adaptée et contactez son chargé de maintenance. Continuez à donner de l'ibuprofène comme le chargé de maintenance vous l'a prescrit, jusqu'à ce que la fièvre disparaisse.

[3] Si l'enfant a plus de 39,7 °C, contactez son chargé de maintenance. Donnez-lui un bain tiède ou tamponnez-lui le front avec un gant mouillé. Ne le baignez pas dans de l'eau froide, vous risqueriez de lui donner des frissons.

Allergies alimentaires

Les personnes souffrant d'allergie ont souvent des antécédents familiaux : si l'un des deux parents est allergique, consultez votre chargé de maintenance avant de proposer cet aliment à l'enfant. Les symptômes apparaissent dans l'heure qui suit

l'absorption : ils peuvent recouvrir des rougeurs, une respiration sifflante ou une perte de connaissance. Si vous suspectez une allergie alimentaire, consultez votre chargé de maintenance et un nutritionniste ou un allergologue pour établir un diagnostic précis. Si l'allergie est avérée, l'allergène sera généralement banni de l'alimentation de l'enfant. Il vous faudra vérifier attentivement la composition des aliments que vous lui donnez, pour vous assurer qu'ils ne contiennent pas l'allergène. Les allergies alimentaires les plus courantes concernent les aliments suivants :

- Lait
- Œufs
- Cacahuètes et autres noix
- Fraises
- Fruits de mer
- Gluten
- Soja

CONSEIL D'EXPERT : *beaucoup d'allergies alimentaires touchant le jeune enfant auront disparuavant ses six ans.*

Blessures à la tête

Les blessures à la tête sont courantes chez le jeune enfant actif, qui ne maîtrise pas encore la coordination de ses mouvements. Appliquez un sachet de glace sur les blessures pour éviter les gonflements, et consultez le chargé de maintenance. Si l'enfant s'est blessé à la tête ou cogné sans perte de connaissance, consultez un médecin s'il présente l'un des dysfonctionnements suivants :

- Ses pupilles ne sont pas de la même taille lorsque vous les éclairez.
- Il vomit.
- Il est léthargique ou somnolent, de sorte que vous avez du mal à le lever.
- Il présente une bosse ou un hématome qui ne se résorbe pas à l'endroit de l'impact.

⚠ ***ATTENTION :*** *si l'enfant perd connaissance, consultez immédiatement son chargé de maintenance spécialisé dans les urgences.*

Troubles de la vision

De nombreux modèles présentent un dysfonctionnement des capteurs visuels, qui exige le port de lunettes. Les troubles de la vision les plus courants chez l'enfant sont :

- La myopie qui empêche de voir distinctement de loin.
- L'hypermétropie qui empêche de voir distinctement de près.
- L'amblyopie, qui fait dévier un œil pendant que l'autre reste fixe.

⚠ ***ATTENTION :*** *Si ses deux utilisateurs sont myopes, l'enfant a de fortes chances de l'être lui aussi.*

- Prêtez attention à la distance à laquelle il s'installe du téléviseur et des livres que vous lui lisez.
- Saisissez un objet et montrez-le à l'enfant, de loin. Essayez de vous assurer qu'il arrive à le voir.
- Saisissez un objet et montrez-le à l'enfant, de près. Essayez de vous assurer qu'il arrive à le voir.

Si l'un des éléments décrits ci-dessus vous incite à penser que la vue de l'enfant est altérée, consultez un chargé de maintenance ophtalmologique.

Poux

Il existe des poux de tête et des poux de corps. Ces parasites pondent des petits œufs blancs (lentes), qu'ils collent aux cheveux. Les piqûres des poux de corps provoquent des croûtes sur le corps. Ces deux types de poux sont à l'origine de démangeaisons et peuvent se propager à toute la famille. Voici la procédure à suivre si l'enfant a attrapé des poux :

[1] Traitez les zones qui démangent l'enfant avec de la diphenhydramine.

[2] Consultez votre chargé de maintenance et achetez shampoings ou savons anti-poux (sur ordonnance ou en vente libre). Traitez tous les membres de famille. En revanche, les animaux de compagnie ne sont pas concernés.

[3] Lavez draps, couettes et vêtements à l'eau très chaude, jusqu'à ce que les poux aient disparu. Les oreillers, les vêtements devant être nettoyés au pressing ou d'autres en tissus non lavables pourront être placés dans un sac en plastique hermétiquement fermé pendant deux semaines, pour tuer les poux. Passez l'aspirateur sur tous les sols de la maison, pour aspirer d'éventuels cheveux comportant des lentes.

Intoxications

Appliquez les mesures préventives qui s'imposent (voir p. 180) pour sécuriser l'environnement de votre enfant et placez les substances dangereuses hors de sa portée.

Si vous pensez que votre modèle a avalé une substance toxique, contactez immédiatement le centre anti-poison. Mémorisez le numéro de téléphone ou placez-le à côté de tous les téléphones de la maison. Munis-

sez-vous du contenant du produit, pour pouvoir en donner la composition à votre interlocuteur, et suivez ses instructions.

Les substances toxiques les plus courantes de la maison

Vous trouverez ci-dessous une liste de substances toxiques présentes dans de nombreux foyers. Placez tous ces produits hors de portée de l'enfant.

- Alcools (boissons alcoolisées, alcool à brûler)
- Parfums, dissolvant, laque à cheveux, crèmes et lotions hydratantes, mousses à raser et pommades.
- Cigarettes et tabac en général
- Engrais et certaines plantes vertes et plantes de jardin très courantes
- Médicaments et compléments alimentaires
- Produits d'entretien
- Colles et peintures

Angine

L'angine est une maladie inflammatoire de la gorge, très contagieuse et courante chez les jeunes enfants – surtout chez les modèles fréquentant la crèche ou l'école maternelle. Fièvre, maux de gorge, maux de tête, douleurs abdominales et rougeur en sont les symptômes. L'angine doit être traitée par le chargé de maintenance de l'enfant, qui réalisera peut-être un prélèvement bactériologique pour établir son diagnostic. Le plus souvent, il prescrira des antibiotiques. Si l'enfant a du mal à déglutir, il ne voudra pas boire ni manger. Toutefois, il est essentiel qu'il continue à s'hydrater.

En cas de récidives (quatre à six fois par an), associées à des ronflements ou à une apnée du sommeil, l'ablation des amygdales pourra être nécessaire. Consultez votre chargé de maintenance à ce sujet.

Corps étranger avalé ou inséré dans le nez

Si l'enfant insère un corps étranger dans son nez ou l'avale sans que son utilisateur ne s'en rende compte, il peut y rester un certain temps. Soyez donc vigilant. Si vous constatez que l'enfant a un corps étranger dans la gorge ou dans le nez, procédez comme suit.

■ ***Corps étranger avalé.*** Si l'enfant a du mal à avaler ou à respirer, suivez la procédure adéquate pour éviter qu'il étouffe (voir p.188) puis allez immédiatement à l'hôpital. D'autres signes pouvant indiquer que votre modèle a avalé quelque chose sont les vomissements ou les douleurs abdominales. Dans ce cas, consultez le chargé de maintenance de l'enfant, qui lui fera peut-être passer une radio pour suivre la progression du corps étranger dans l'organisme.

■ ***Corps étranger glissé dans le nez.*** Le diagnostic est généralement plus facile à établir que si le corps étranger a été avalé. Si vous avez vu l'enfant se mettre quelque chose dans le nez, demandez-lui de souffler par le nez ou de se moucher. Si vous remarquez un écoulement nasal d'un seul côté associé à une odeur désagréable, consultez le chargé de maintenance de l'enfant, qui retirera le corps étranger dans les règles de l'art.

[Annexes]

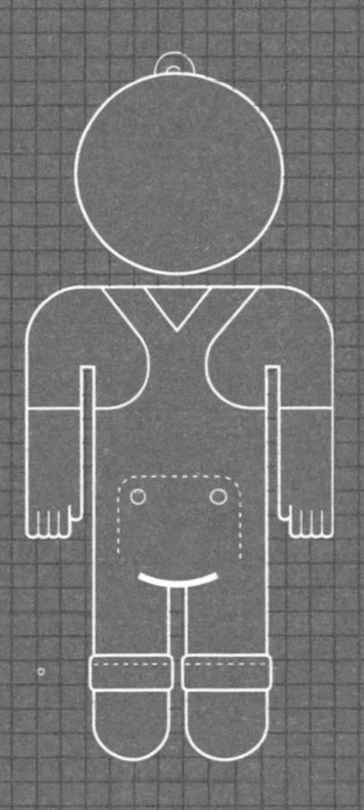

Tableau de gestion des déchets

Nom du modèle

JOUR	07:00	07:30	08:00	08:30	09:00	09:30	10:00	10:30	11:00	11:30	12:00	12:30	13:00
LUN.													
MAR.													
MER.													
JEU.													
VEN.													
SAM.													
DIM.													

CT caca dans les toilettes

PT pipi dans les toilettes

EP entraînement au pot

CC caca dans la culotte

PC pipi dans la culotte

CL caca au lit

PL pipi au lit

	14:00	14:30	15:00	15:30	16:00	16:30	17:00	17:30	18:00	18:30	19:00	19:30	20:00	20:30	21:00

PLANNING DE SOMMEIL

zzz	LUN.	MAR.	MER.	JEU.	VEN.	SAM.	DIM.
23H30							
23H00							
22H30							
22H00							
21H30							
21H00							
20H30							
20H00							
19H30							
19H00							
18H30							
18H0							
17H30							
17H00							
16H30							
16H00							
15H30							
15H00							
14H30							
14H00							
13H30							
13H00							
12H30							
12H00							
11H30							
11H00							
10H30							
10H00							
09H30							
09H00							
08H30							
08H00							
07H30							
07H00							
06H30							
06H00							
05H30							
05H00							
04H30							
04H00							
03H30							
03H00							
02H30							
02H00							
01H30							
01H00							
12H30							
12H00							

Index

D

E

CERTIFICAT DU PROPRIÉTAIRE

Félicitations ! Maintenant que vous avez étudié les instructions de ce manuel, vous voici parfaitement préparé à assurer la maintenance de votre enfant. Grâce à votre attention et à votre affection, votre modèle vous procurera de nombreuses années de plaisir et de bonheur.

Amusez-vous bien !

Noms des utilisateurs

Nom de l'unité

Date de livraison de l'unité

Genre d

Couleur des yeux de l'unité

Model's hair color

Les auteurs

BRETT R. KUHN, titulaire d'un doctorat, est professeur associé de pédiatrie et il dirige la clinique pédiatrique du sommeil du C.H.U. de l'Université du Nebraska, aux États-Unis. Il est l'auteur de nombreux articles publiés dans *The American Family Physician, Journal of Psychosomatic Research, Child & Family Behavior Therapy, Psychological Bulletin* et *Journal of Pediatric Psychology*. Par ailleurs, il intervient comme expert dans les magazines *Parents* et *Parenting*. Brett et son épouse Tami ont trois enfants, qui ont tous réussi avec succès leurs mises à jour successives.

JOE BORGENICHT, P.A.P.A, est écrivain, producteur et propriétaire d'un jeune enfant. Il est co-auteur du *Mode d'emploi de mon bébé.*

Les illustrateurs

PAUL KEPPLE et JUDE BUFFUM sont plus connus sous le nom de HEADCASE DESIGN, leur studio de Philadelphie. Leurs travaux ont été publiés dans de nombreuses revues de design et d'illustration comme American Illustration, Communication Arts et Print. Paul a travaillé pendant plusieurs années pour l'éditeur Running Press Book Publishers avant de fonder Headcase en 1998. Tous deux sont diplômés de la Tyler School of Art, où ils enseignent désormais.